S0-AAA-206

B W

Fiction & Cie

Lydie Salvayre

BW

Seuil
27, rue Jacob, Paris VIe

COLLECTION

« *Fiction & Cie* »

fondée par Denis Roche

dirigée par Bernard Comment

ISBN 978-2-02-099711-9

© Éditions du Seuil, août 2009

Le Code de la propriété intellectuelle interdit les copies ou reproductions destinées à une utilisation collective. Toute représentation ou reproduction intégrale ou partielle faite par quelque procédé que ce soit, sans le consentement de l'auteur ou de ses ayants cause, est illicite et constitue une contrefaçon sanctionnée par les articles L.335-2 et suivants du Code de la propriété intellectuelle.

www.editionsduseuil.fr
www.fictionetcie.com

Je pars.

Toujours il dit Je pars, je me tire.

Il aime le mouvement de partir. Il se fout de l'endroit à atteindre, ce qu'il aime c'est partir, c'est déclarer qu'il part. Il dit qu'il va écrire, un jour, l'éloge de la fuite. Cet éloge lui paraît d'autant plus justifié qu'il a appris, hier, que le verbe partir, en espagnol, signifiait aussi partager.

Il a toujours sur lui un passeport à jour pour passer les frontières. Prêt à fuir.

Il n'y a pas trente-six solutions quand l'ennemi menace, dit BW, mi-rieur mi-sérieux : soit mettre les voiles, soit l'attaquer de front (cette dernière solution requérant un attirail et des forces plus lourdes). Toute autre est malvenue.

BW est un guerrier. Plus tard, je dirai en quoi.

BW est un tendre.

Il pleure la mort de Fausto le chat.

Encore aujourd'hui, il pleure sa mort.

Il a des chagrins lents et des joies foudroyantes.

Ses joies lui sont le plus souvent données par le voyage, par les plaisirs qui naissent du voyage.

Je l'ai mille fois constaté, c'est en voyage que BW montre son visage le plus avenant. En cela, il diffère de moi. Tout projet de quitter le refuge m'accable. L'odeur des gares m'écœure. Traîner une valise m'est un supplice. Mes tendresses d'esprit vont, de préférence, aux reclus et aux immobiles. Il m'arrive de penser que je pourrais sans peine mener une vie de moniale. Ma vie physique est d'ailleurs une vie d'enfermée (et ce n'est pas demain qu'on m'invitera au festival des écrivains voyageurs).

BW, lui, est toujours en instance de partir.

Dès que quelque chose l'insupporte en France, et c'est souvent, il dit Je me casse de ce pays, je me barre, je vais voir ailleurs si j'y suis (il aime l'ironique justesse de cette expression). Quelquefois, il le fait pour de bon. Et je m'inquiète.

BW a des goûts dispendieux. Dès qu'il a de l'argent, il le claque. Il claque aussi celui qu'il n'a pas. Ce qui le plonge dans des affres terribles : dettes au fisc, avis à tiers détenteur, prélèvements sur salaire, etc.

BW a horreur des ladres. Il peut rompre une amitié, du jour au lendemain, pour cause de ladrerie. Et se plaît à déclamer que :

Le ladre est une erreur

Car BW aime la grande vie, les grands gestes, les grands

horizons, les manières qui en jettent, les chaussures en serpent, les oreillers en duvet de cygne et la littérature qui est, de tous les luxes, le plus considérable.

C'est du reste pour leur savoir millénaire sur le luxe et la volupté que BW aime les pays d'Orient où il a souvent séjourné, leurs extravagants bijoux, leurs tapis, leurs soies, leurs tentures, leurs parfums capiteux, leurs somptuosités. Leurs harems, ajoute BW à voix basse et souriant.

Le luxe ou bien l'ascèse (BW me racontera plus tard sa retraite à l'abbaye de Solesmes), il n'est pas d'autre solution. Quant au faux luxe, au confort moyen et aux moyennes littératures, non, non et non !

BW n'a strictement aucun sens de la mesure. Tout ce qui le force à la mesure le meurtrit. Tout ce qui l'oblige à l'économie l'exaspère. Il n'est pas une seule restriction qu'il ne ressente comme un avilissement.

La modération bourgeoise et l'idée d'épargner lui demeurent étrangères. Sincèrement, il le regrette.

S'il boit, c'est trop. S'il rompt, c'est à jamais. S'il souffre, c'est à mort. S'il aime, c'est corps et âme.

BW a aimé l'édition corps et âme. Il a rompu avec elle à peine a-t-il compris qu'il devrait désormais spéculer, négocier, marchander, opter pour des choix raisonnables, autrement dit qui rapportent, en langue d'édition (les opérations pécuniaires l'ayant jusqu'ici assez peu occupé).

Il a rompu avec elle pour ne pas obtempérer aux impératifs susnommés (qu'on aurait autrefois regardés comme vulgaires).

Il a rompu avec elle plutôt que de forfaire à une certaine idée qu'il s'en faisait.

Il a rompu avec elle avant que ne commence le dégoût de lui-même.

L'une des raisons de ce livre est de dire la rupture de BW avec l'édition, et l'entrelacs compliqué de ses causes.

Car la rupture de BW avec l'édition qu'il a aimée par-dessus tout m'apparaît parfois comme un raccourci violent de notre histoire contemporaine.

Le 15 mai 2008, BW perd brutalement l'usage de son œil droit. L'inquiétude est immense. D'autant que la vision de son œil gauche est très diminuée.

BW consulte un spécialiste. Un décollement de rétine est diagnostiqué, puis opéré. Mais des complications surviennent et, pendant une quinzaine de jours, BW se demande s'il ne va pas devenir définitivement aveugle. C'est dans ce laps que naît ce livre.

En attendant une nouvelle intervention chirurgicale sur l'œil aveugle, BW, qui ne peut se déplacer, ni lire, ni regarder la télé, me raconte dans une sorte d'urgence la somme des départs qui ont marqué sa vie.

Je note ce qu'il me dit.

Mon cœur est une gare.

Peut-être vais-je désormais, à l'instar de Démocrite qui se creva les yeux, peut-être, dit BW, vais-je désormais mieux voir mon existence et mieux voir le soleil autour duquel elle tourne.

BW précise : Mais que je sois écorché vif plutôt que de contribuer à faire de ce livre un déversoir. Arrête-moi si tu as le sentiment que j'y évacue mes miasmes. Te parler d'ailleurs ne me soulage (j'ai ce verbe en exé- cration, il est consternant de réalisme), ne me délivre en rien de ce qui, dans la vie, m'oppresse. Te parler est juste une occasion pour que tu restes assise près de moi, pour te sentir attentive et deviner tes airs de secrétaire en chef. Mais peut-être t'apprendrai-je des choses sur notre planète que j'ai traversée de part en part, c'est ma fierté, et qui s'est en quarante ans hérissée de frontières, je veux parler des conflits, des guerres et des massacres qui nous empêchent aujourd'hui d'aller sans accroc de Trieste à Bagdad.

Le monde, contrairement à ce qu'on croit, s'est fermé, et ce n'est pas le moindre de ses paradoxes. Un voyage en Afghanistan, en Irak, et dans certaines régions de l'Inde, comme je le fis à 22 ans, serait aujourd'hui impossible. Les centres, du reste, se sont déplacés. En moi aussi.

De plus, le monde, ce qu'autrefois on appelait le monde, ou l'ailleurs, ou l'inconnu, ou l'étrange, ce monde-là a disparu. Les confins s'offrent à qui veut sur la chaîne Voyage.

Le plus dur, dit BW en se réveillant, le plus dur est de quitter ce qu'on n'a pas. Tu ne notes pas cette grande pensée ?

Je n'ai pas eu d'enfance, regrette-t-il, plus tard.

Du plus loin qu'il se souvienne, BW se trouve laid.
Sa mère lui a dit un jour qu'il avait une petite tête de pinceau usé. Et il le croit.
Pour compenser sa laideur, il se jette dans l'orgueil. Il ne ressemblera à personne. Il n'agira comme personne. Il sera indocile. Il sera méchant. Il fuguera.

Il fait sa première fugue à 13 ans. En Solex.
Il met cinq jours pour aller de Clermont-Ferrand à Valence et cinq jours pour revenir.
C'est l'été.
Il dort dans les champs, dans les granges.
Il mange des boîtes de raviolis froids.
Il ne sait pas ce qui le pousse.
Encore aujourd'hui, il ne sait pas ce qui le pousse, ni contre quoi il se révolte.
Cherche-t-il à inquiéter sa mère qui, pense-t-il, l'aime mal ? à la faire crier d'angoisse comme la bête à laquelle on arrache ses petits ? à lui extorquer les paroles d'amour qu'elle ne sait pas lui prodiguer ?

Cherche-t-il confusément à lui signifier qu'il souffre de sa froideur et qu'il part, uniquement, pour qu'elle le rattrape ? Uniquement pour ça. Et qu'il faut être un mur pour ne pas le comprendre.

Aujourd'hui encore, il lui arrive de se demander s'il n'a pas accompli tous ses voyages et amorcé tous ses départs (dix, vingt, trente, il ne sait plus) dans l'unique et fol espoir de bouleverser sa mère, dans le désir insensé de la voir trembler pour lui et réclamer à cor et à cri un peu de sa présence.

Sur son deux-roues, BW atteint le col de Coupebourse à la fin de la journée. Lui qui a toujours eu le sentiment de ne compter pour rien, il se sent, par son acte, exister davantage. Il est encore loin de se juger indispensable et justifié de vivre, mais il espère secrètement que son départ laissera derrière lui un trou qui fera mal. Il a, dit-il, de l'allant. Le seul mouvement de partir lui donne cette force d'impulsion qu'il retrouvera plus tard dans l'expérience de la course et qui lui deviendra aussi nécessaire que le sang.

BW voit une ferme. Il y entre. Le paysan lui propose de passer la nuit dans la remise où sont opportunément entassés des vieux numéros de *Miroir Sprint*. Le paysan ne lui pose pas de questions indiscrètes, ni ne s'étonne de l'étrangeté de sa situation. Pour cette double raison, BW, instantanément, l'adopte dans son cœur. Ensemble ils parlent de Guy Ignolin, triple vainqueur du circuit des monts d'Auvergne, à qui BW écrira, quelques jours plus tard, sur les conseils du fermier, la lettre suivante:

Cher Monsieur Ignolin,
J'aimerais beaucoup porter, par admiration pour vous,
votre maillot de coureur, bien que trop grand pour mes
proportions.
Pourriez-vous m'en faire parvenir un à l'adresse indiquée
ci-dessus?
Avec tous mes remerciements.

B W

P.-S. Vous serait-il possible de le signer de votre nom le
plus lisiblement possible?

BW s'installe dans la remise que le paysan lui a ouverte. Il a faim. Mais il n'a pas sitôt ouvert la boîte de pâté achetée le matin que le chien du fermier se jette sur elle et la dévore. BW se contentera de manger le pain seul. La nuit, malgré tout, sera belle, puisqu'en rêve il baisera avec Marie Laforêt (laquelle exerce sur lui, à l'époque, un pouvoir des plus érogènes). Plus de quarante ans après, il s'en souvient. BW se souvient de toutes ses histoires d'amour. De celles qu'il a rêvées, comme des autres.

BW déteste l'eau plate.
Écris-le. C'est important.

On ne peut pas éditer des livres, et boire de l'eau dite
plate, enfin quoi!

BW dit Un jour j'ai fait quelque chose de mal. Je ne
sais pas si je trouverai les termes pour le dire.
S'est-il livré, enfant, à quelque action peccamineuse?
Non, aucun crime grave dont il ait le souvenir. Il n'a
pas violé sa mère, ni accusé son père de pédophilie.
Si, celui d'avoir surpris des gestes à caractère sexuel.
Entre 7 et 10 ans, BW passe ses vacances d'été dans le
village de Villelongue où ses parents louent une petite
maison.
Le voisin Marcel a pris l'enfant sous son aile, qui passe
des jours entiers dans la grande ferme attenante. On
le hisse sur l'énorme tracteur, on l'autorise à donner la
pâtée aux cochons et à conduire les vaches à la pâture,
on lui accorde le brossage à l'étrille du cheval de trait
Papillon auprès de qui, tout bas, il se confie, on l'invite
à la table familiale dans la cuisine où les poules se pro-
mènent et chient sur le carrelage avec cette absence
totale d'égards qui les caractérise.
Tout cela enchante l'enfant.
Il s'est fabriqué un javelot dans le bois souple d'un
noisetier et, l'après-midi, dans les champs que la
chaleur a vidés, il organise des championnats du
monde où il incarne tour à tour dix athlètes diffé-
rents. Méthode infaillible pour s'assurer la victoire. Ça le
comble.

BW apprend de la sorte à s'arranger avec la réalité des choses. Consacré champion, il répond aux interviews et affirme que le geste du lanceur de javelot est le plus beau du monde car le plus ample et, conjointement, le plus précis.

Coureur cycliste, il fait, ni plus ni moins, la pige à Louison Bobet sur un vélo d'adulte beaucoup trop grand pour ses jambes mais qui l'oblige à des mouvements du derrière d'une grande expressivité.

Ces imaginations sont très profitables à son âme d'enfant. Il les cultive. Et personne n'est là pour leur faire barrage. Il rêve d'être un grand homme, un grand talent, un grand athlète, en même temps qu'un terrible bourreau des cœurs. On dit qu'il n'est pas de grand destin sans ces ambitions premières, la vie se chargeant ensuite de les broyer ou de les épanouir, comme on dit. J'ai eu droit, dit BW, à ces deux traitements concomitamment (ce dernier mot l'amuse).

Un jour, ceci est sans rapport avec cela, un jour, dans l'étable, il surprend Fernand, l'ouvrier agricole, en train de se faire sucer la bite par un jeune veau.

BW me dit avec le plus grand sérieux que cette expérience a contribué grandement à sa formation littéraire.

Je l'écris ?

Un peu que tu l'écris !

Premier grand départ en 1969, quelques années avant la ruée des beatniks vers l'Asie, victimes en quelque sorte des croyances d'une époque qui leur vendait la fable de l'ailleurs comme route obligée vers l'émancipation.

BW dit qu'à Clermont-Ferrand, où il passe sa jeunesse, les rats de l'angoisse lui rongent la poitrine.

Il a 22 ans.

Il n'a rien préparé.

Ce qu'il veut c'est partir, rien d'autre. Foutre le camp. Je l'aurai assez dit. Il est en colère. Depuis qu'il est né, il est en colère.

Avec l'argent qu'il a mis de côté, il veut faire un petit tour. Dans le monde. Pour se calmer les nerfs.

Le petit tour durera deux ans.

Il veut une vie plus vaste, escarpée, des rêves avec des tigres, des bivouacs, des descentes en caïque, des dépaysements qui ébranlent l'esprit, des choses romanesques qui brisent les routines, et les os.

De l'air. De l'air.

Et du danger, si possible.

Devant moi, il rassemble aujourd'hui les ossements disséminés de son périple.

Il me raconte son voyage.

Raconter le rend lyrique (le lyrisme n'est pas son fort).

Il dit C'est la mort, alors, que j'essayais de semer, avant de comprendre qu'elle était en moi, qu'elle était en nous.

Le matin du 2 septembre 1969, il fait du stop à la sortie de Clermont-Ferrand. Sur lui, un sac qui contient quelques effets de première nécessité, un livre dont je reparlerai, quelques cassettes de musique et un lecteur de cassettes. Il fait une halte à Milan où vivent des amis anarchistes de la mouvance de Valpreda, puis file sur Trieste où commence, pour lui, l'inconnu. À Ljubljana, il vend dans la rue des caricatures de De Gaulle, et engage la conversation avec des hippies qui le conduisent, le soir venu, dans leur communauté sur laquelle règne un illuminé qui se fait appeler Feo. BW en repart sur-le-champ. L'idée de vivre, ne serait-ce qu'un jour, ne serait-ce qu'une heure, sous l'emprise d'un prophète, fût-il le plus inoffensif, lui fait horreur.

Partons en quête du vrai bonheur

Il prend le train pour Zagreb, traverse en camion la Bulgarie, reprend un train vers la frontière turque. Dans le compartiment qu'il occupe, un Anglais lui offre une part de sa boîte de sardines. C'est l'époque où les voyageurs étrangers fraternisent. Le train s'arrête. L'Anglais jette négligemment la boîte usagée par la fenêtre. Des flics font aussitôt irruption et embarquent sans ménagement le Pakistanais qui partageait leur compartiment. Les protestations des deux Européens ne serviront à rien. Premier chagrin de BW. Première violence. Première injustice à laquelle BW assiste, impuissant. Il y en aura bien d'autres. Dont il sera, quelquefois, l'objet.

À Sofia, il dort sur un banc, dans un parc, non loin de la gare. Des policiers le secouent avec rudesse. Qu'ai-je fait? Bakchich? demande-t-il à tout hasard en se frottant les yeux. Les policiers incorruptibles l'attrapent par la veste, lui donnent une bourrade dans le dos pour lui fournir un peu d'élan (car il en manque sérieusement), puis le somment de quitter les lieux séance tenante (c'est du moins ce qu'il comprend, la vocifération des policiers palliant assez efficacement le sens des mots incompréhensibles). C'est à se tirer une balle dans la tête, pense BW,
car les faits et cris de la police ont le don de le retourner,
car toute confrontation avec la police a le don de le retourner,
il est ainsi fait BW,
j'y peux rien, la simple vue d'un képi me révulse.
Maintenant, il marche vers la gare. Tout son effort consiste à lutter contre l'accablement qui lentement le gagne. Pourquoi suis-je parti? pourquoi? pourquoi? pourquoi?

Voyageurs, vous avez le goût de l'infini, sans doute.

Le lendemain, il est dans le Grand Bazar d'Istanbul.
Il y flâne.
Il achète un flacon d'essence de jasmin et un pain de savon noir.

Il se sent mieux. Il est curieux de tout. Il se laisse porter. Il s'en remet au doux hasard des choses.

Mais le hasard, ce jour-là, est contraire. Un homme, soudain, s'approche et lui glisse un objet dans le creux de sa main. Un autre brandit sur-le-champ sa carte de police. BW comprend qu'il est en possession d'une barrette de shit dont la détention est punissable de prison. Il bouscule violemment les deux hommes qui essaient de l'empoigner, se dégage de leur étreinte, et s'enfuit à toutes jambes jusqu'au Pudding Shop. Il se souvient d'avoir emprunté dans sa course la rue Pierloti. Très utile en voyage d'être champion de course à pied (un chapitre ultérieur sera consacré à BW coureur de 800 m).

Le Pudding Shop.

BW a appris à repérer dans chaque ville le lieu où les voyageurs étrangers échangent leurs tuyaux et s'entreconsolent. Le Pudding Shop est un de ces lieux-là. BW y retrouve Alberto, un ami italien, qui lui parle avec chaleur du Kurdistan.

Trois jours après, BW part pour le Kurdistan.

Les départs de BW ressemblent à son âme. Impatients, sans prudence. BW aime à dire, en se composant un air doctoral, que la prudence est le trait principal des médiocres, et des Catalans, pardon pour ta mère.

BW reste quelques jours dans un village de la montagne kurde. Le village est pauvre. Vingt masures en torchis se pressent autour d'une mosquée minuscule.

Dans une salle sombre qui tient lieu de café, il mange midi et soir une soupe de lentilles rouges accompagnée de riz. Et cette nourriture si simple, servie dans un lieu si pauvre et selon un décorum immuable, lui semble, véritablement, digne d'un prince, non ce n'est pas ce que je veux dire, dit BW, lui semble quelque chose qui marque je ne sais quoi de solennel et d'important, quelque chose que j'ai du mal à t'expliquer mais qui a, tu vas rire, qui a comme un goût de sacré.

On le traite avec déférence. Les Kurdes respectent le courage de ces voyageurs chrétiens qui, à l'instar de BW, ont franchi des milliers de kilomètres et bravé mille embûches pour venir jusqu'à eux.

Sa présence, il le sent, amène aux villageois un peu de la diversion qui leur manque. On l'épie comme un être qu'on n'aurait jamais vu. Il intrigue. Ses manières, probablement, surprennent. Dans le café, les buveurs le regardent manger et boire avec l'attention fascinée que manifestent, d'ordinaire, les enfants. Les femmes, dans la rue, l'observent à la dérobée.

Il est devenu l'attraction du village.

Cela, étrangement, lui plaît.

Il est l'étranger, l'homme d'ailleurs, il est l'exote, mais pour autant il n'est pas l'exclu.

Il part à regret.

Auparavant, il a dit Merci, en français.

Merci de tout mon cœur pour votre hospitalité, en français.

Et ses paroles ont été comprises. Leur intention, tout du moins, a été comprise.

Et elle a réjoui.

Paix et honneur à toi, lui a-t-on répondu.

BW ne sait pas quel usage il fera de cet honneur, mais il dit encore Merci, en français, Merci.

Il part vers Erzurum, en Turquie, près du lac de Van. À pied d'abord, par des chemins boueux qu'empruntent de lents troupeaux de chèvres, puis dans une charrette à deux roues tirée par deux mules pensives, puis dans un autocar somnolent, délabré, cahoteux, recouvert d'inscriptions coraniques dont la plus grande, de couleur verte, célèbre le prophète Allah.

Il a perdu, dit-il, la notion du temps et de la hâte. Tout en lui s'est alenti, contaminé par la quiétude des terres traversées. Il ne sait pas quel jour il est, ni quelle heure. Et il s'en fout. Il en est surpris. D'ici que je devienne un contemplatif!

J'ai envie d'un baba au rhum, dit BW tout à coup, avec un gros tas de chantilly par-dessus. Y aurait-il dans cette maison quelque chose qui ressemble à un baba au rhum avec un gros tas de chantilly par-dessus? Tu ne peux pas savoir combien ça m'a manqué à Erzurum, les gros babas au rhum avec un tas de chantilly par-dessus.

Car pour l'heure, BW est à Erzurum.

Il déambule, nonchalant, dans la rue principale, lorsqu'il

est brusquement arrêté par quatre flics et conduit manu militari en cellule.

Il y reste huit jours. Il s'y repose. Il lit. Il philosophe. Il est calme et recueilli. Curieusement, il n'est pas harcelé par de mauvaises pensées.

Il attend.

Il ne saura jamais la cause de sa détention, pas plus que celle de sa libération. Est-ce parce qu'il a écrit les mots Kurde et Kurdistan, alors totalement proscrits, sur l'une des cartes qu'il a postées à Erzurum en direction de la France ?

BW est un homme qui a connu plusieurs fois la prison.

À Erzurum, à Venise, à Antibes, à Kandahar, BW a connu la prison, et toujours pour des raisons absurdes.

Un homme qui a connu la prison ne lit pas comme les autres.

BW ne lit pas comme les autres.

Ce qu'il aime d'emblée dans un texte se situe dans ce que l'auteur tente de dire d'une expérience concrète du froid qui le transit, de la peur qu'il redoute, de la joie qui l'exalte, du chagrin qui le tue ou de la main brûlée qui écrit des phrases sur le feu.

Ce qu'il aime d'emblée c'est le halètement qui dans les mots s'imprime.

Rien d'autre que ce halètement.

Rien d'autre que la musique de ce halètement.

Rien d'autre.

Si la main est intacte, si le corps est sans cœur et le souffle étranglé, si la chose imprimée n'est qu'une chose abstraite, une vue de l'esprit, un habit vide, une dépouille, si elle se borne au simple jeu de la pensée, alors la langue, dit BW, se fait sèche, exsangue, forcée. Et bientôt elle crève, la pauvre. De faim, de froid, de chagrin et d'inanition, elle crève.

Tu vois, ce que j'aime dans la musique de John Lee Hooker, c'est qu'elle soit cousue dans l'épaisseur de sa vie même, dans l'épaisseur d'une vie ivrogne de musique.

Mais au fait, qui est ce John Lee Hooker dont je n'ai jamais entendu parler?

John Lee Hooker, explique BW (qui aime avec moi faire son professeur), John Lee Hooker travaille à la chaîne dans une usine de bagnoles, à Detroit, dans les années 40. Le soir, pour se détendre, il joue de la guitare dans les bordels et les bars de la ville. Mais personne ne l'écoute. Ça le rend fou. Personne vraiment ne l'écoute, c'est pas tenable. Et c'est parce que précisément personne ne l'écoute, c'est parce que les bavardages, les imprécations et les rires des connards couvrent constamment sa pauvre musique, que J.L.H., un beau jour, laisse tomber sa guitare sèche pour une guitare dans laquelle il a intégré un micro relié à un ampli. Il veut forcer l'attention, nom de Dieu. Il veut en foutre plein les oreilles.

Il y réussit magnifiquement.

Le pouce sur la ligne de basse, une capsule de Coca collée à la semelle de ses boots dont il frappe le sol, J.L.H. crée un son électrique absolument neuf, qui fulgure, qui crie, qui soupire, qui meurt, qui caresse, qui déchire le cœur et te troue les tympans, putain.

Mais changeons de musique, dit BW, ainsi que de prison.

Il me paraît sain, dit-il, de changer, de temps à autre, de prison.

Dès qu'il est libéré, BW fait du stop et grimpe dans un cinq-tonnes conduit par un Turc au visage sanguin et aux cuisses énormes, sanglé, il s'en souvient, dans une chemise jaune qui s'entrebâille entre les boutons.

BW a décidé de s'aventurer jusqu'en Iran. Justement, le Turc se rend à Dogubayazit, tout près de la frontière iranienne. BW s'en réjouit. Mais pas longtemps. Car très vite le routier lui glisse sa grosse main sur la cuisse, puis introduit l'index de sa main droite dans un cercle formé par sa main gauche en lui imprimant un mouvement de va-et-vient. BW qui comprend le langage des signes demeure parfaitement impassible, un mur.

Mais au premier ralentissement, il saute du camion. BW a des principes.

Le trafic sur la route est de plus en plus dense. BW remonte à pied la file des poids lourds qui sont maintenant à l'arrêt. Tout en haut de la côte, un camion transportant des ruches s'est renversé dans le virage. Un homme gît à terre au sein d'un millier d'abeilles. Impossible de l'approcher. Le corps de l'homme est démesurément enflé. Sans doute est-il mort.

BW a mal au cœur.

BW continue de marcher malgré son mal au cœur

La nuit tombe.

La nuit, en Turquie, tombe, littéralement tombe, et écrase.

BW est le plus seul des hommes.

Et rien, rien, pour contrer le chagrin.

Aucun visage dont le souvenir de chaque trait bouleverse.

Car BW n'a pas encore aimé. Il n'a, dans son cœur, aucun être à chérir. Aucune image dans sa tête sur laquelle poser son âme.

Car BW n'a pas connu ce qu'on appelle « la douceur du foyer » (bisous, joujoux, nounous, doudous, hiboux, cailloux, tout l'ignoble petit bonheur des familles, dit BW), la douceur du foyer qui cerne, contre la méchanceté du monde, un endroit tendre et protecteur auquel, en toutes circonstances, l'esprit peut s'amarrer.

Perdido ando, Señora, entre la gente
Sin vos, sin mí, sin ser, sin Dios, sin vida.

La tentation de mourir, de se jeter dans le ravin qu'il longe depuis des heures, lui traverse l'esprit.

BW s'arrête, épuisé, dans le premier village qu'il finit par atteindre. Il pousse la porte d'un café où des hommes s'assomment en buvant du raki. Une odeur forte le saisit à la gorge. Une odeur de tabac, de sueur et d'alcool. Une odeur d'hommes. Le patron emplit sans discontinuer les verres d'un couple suisse qui s'est échoué là, BW ne sait comment. Le couple est ivre. BW lit dans le regard des hommes attablés un désir si violent, si bestial, si visiblement prédateur de la fille étrangère, qu'il exhorte le couple à décamper en vitesse et à se protéger. Le couple le rabroue. Qu'il ne se mêle pas de leur histoire! Tout ça ne le regarde pas! Mais si, ça me regarde, proteste BW, ça me regarde, ça me regarde même fixement et dans le blanc des yeux, insiste-t-il. Ça me regarde passionnément, s'écrie-t-il. Occupe-toi de tes oignons! lui fait le Suisse, l'air mauvais.

BW va se coucher.

Sa tristesse déborde.

Une digue en lui s'est ouverte qu'il avait jusqu'ici, tant bien que mal, colmatée.

Toute la nuit, il se demande quel malheur ce couple, de si loin, est venu chercher.

Toute la nuit, il se demande quel malheur lui-même, de si loin, est venu chercher.

Doit-il, pour mériter de vivre, endurer tant d'épreuves?

Il dit en se moquant Je payais cher mon délit de fuite.

Mais BW continue le voyage. Vaille que vaille. BW dit qu'il faut se distraire par le voyage du malheur qu'engendre le voyage. Il dit C'est la mécanique du voyage. Il rit.

En mars, il est à Téhéran. Il obtient d'écrire des piges pour *Le Journal français de Téhéran*. Un jour, il roule jusqu'à la mer Caspienne sur une route envahie de serpents. Conduirait-elle vers l'enfer? En deux heures à peine, les visages changent. Les yeux s'allongent. Les pommettes saillent. Les silhouettes s'asiatisent. Entre Babol et Bandar, il voit à perte de vue d'immenses champs de pavots. Il les trouve beaux.

Retour à Téhéran où il se sent bien. La ville lui plaît. Les filles aussi. C'est l'époque des minijupes. Les imams n'ont pas encore instauré leur ordre mortifère. BW s'y sent bien, et cependant quelque chose encore le pousse à partir. Quelque chose d'inapaisé en lui le pousse à partir.

Comment font les autres pour rester toute une vie plantés au même endroit?

Est-ce que cela s'apprend?

Est-ce moi qui déconne, ou bien eux?

Que n'ai-je pas qui m'empêche de trouver le repos?

Le trouverai-je un jour?

Avec toi?

J'ai toujours le feu au cul et à l'âme. Pourquoi rien, jamais, ne me satisfait pleinement?

Le mot satisfaction serait-il synonyme pour moi d'achèvement, de mort?

Qu'est-ce que je cherche dont j'ignore le nom?

BW arrive à Meched, dernière grosse ville iranienne avant la frontière afghane. Le bruit court alors qu'une épidémie de choléra sévit en Afghanistan. Or BW s'en est allé si précipitamment de France qu'il a négligé de faire les vaccins exigés. Sans attestation de vaccins, impossible de passer la frontière, voilà ce que lui assène l'autocratique et moustachu garde-frontière, que sa fonction, probablement, exalte. BW fait alors, non sans malaise, ce geste que des voyageurs plus expérimentés lui ont conseillé de toujours tenter en cas de litige : il glisse discrètement deux billets de 20 dollars dans son passeport.

Il passe.

BW apprend très vite les codes du voyage.

Il assimilera beaucoup plus difficilement les codes de l'édition, quoique assez similaires.

BW dit que sa nature profonde s'est montrée foncièrement réfractaire à l'assimilation des codes particuliers à l'édition. Il ajoute, sérieux, Crois-moi, je le déplore.

Après Meched, BW est pris dans une vieille bagnole conduite par un Français de Nantes qui lui offre, il s'en souvient, des biscuits de la marque LU dont le nom à lui seul l'émeut. Il s'en faut de peu qu'il n'éclate en sanglots. C'est d'un grotesque ! dit BW. Chialer pour un mot ! Pas n'importe lequel, me diras-tu. Il fait une chaleur étouffante. Quatre heures de piste à travers un désert de cailloux, et l'âme et la carcasse bousculées en tous sens.

BW arrive à Hérât à la tombée du jour. Pas d'électricité dans les rues. Un autre monde. C'est ce qu'il cherche. Un autre monde enfin. Un autre monde qui se substituera au premier. Qui le délivrera du premier. Qui le dépouillera de ses anciens tourments.

Un autre monde enfin qui le restituera à lui-même, les grands mots! dit BW, les grands mots qui souvent nous abusent, les grands mots qui nous tiennent autant qu'ils nous égarent.

Incipit Vita Nova

À Hérât, BW écrit la première page du livre de sa Vie Nouvelle.

À combien de vies nouvelles a-t-on droit? Tu le sais? J'en ai eu combien?

BW compte sur ses doigts.

Crois-tu que celle-ci sera la dernière?

Ça m'embêterait.

Je veux des malheurs nouveaux! s'écrie-t-il en se mettant debout.

Trajet jusqu'à Kandahar dans un car antédiluvien qui porte en très gros le nom de STALIN et dont BW prédit qu'il va expirer d'un instant à l'autre, ce serait dans la logique de l'histoire, dit-il. L'air est suffocant. La terre tremble de chaleur. BW arrive dans la ville au milieu de la nuit. Où dormir ? Il traverse à pied des faubourgs endormis que quelques lumières mourantes, derrière les volets, éclairent tristement. Il ne sait pas combien de temps il marche de la sorte. Il est soûl de fatigue. Chaque fois qu'il s'arrête, il craint de ne pouvoir repartir. N'est pas Cook qui veut, dit-il, phrase incompréhensible. Dans un verger dont il garde l'exact souvenir, il se couche à même le sol et s'endort aussitôt.

À la pointe du jour, des policiers en armes le secouent. Quoi ? crie BW, éveillé en sursaut. Qu'est-ce qu'il y a ? Il se frotte les yeux. Qu'est-ce que... Les policiers le forcent à monter tout engourdi et les cheveux pleins d'herbes (car les herbes l'adorent autant que les bestiaux) dans un fourgon vétuste, puis le conduisent jusqu'à un poste de contrôle où il poireaute deux jours entiers. Les policiers sont débonnaires. Et BW ne comprend rien à ce qui lui arrive.

Le propre du voyage est de nous confronter à l'incompréhensible, dit BW. En voyage, dit BW qui a lu Blaise Pascal, l'incompréhensible ne cesse pas d'être. Cela l'aidera, plus tard, à supporter l'opacité de certains manuscrits. L'opacité nécessaire à certains manuscrits.

Les voyages forment à la lecture, dit encore BW.

Puis : Je vais passer pour un sentencieux.

Dans la cellule où il est détenu, BW, qui n'a pas la

moindre idée du tort qu'il a commis, reçoit la visite
d'un capitaine de police, pistolet à la ceinture, cas-
quette vissée, et tunique grise à boutons de cuivre.
Le capitaine semble tout émoustillé à l'idée de parler
avec un étranger venu de France. Ah Paris Paris !
Moi vouloir aller ! Ah les jolies femmes ! Tour Eiffel !
Moulin-Rouge ! Brigitte Bardot ! Amour amour ! (son
âme est romanesque sous ses dehors martiaux). Ah
Paris Paris ! Many many money ! Many many sex ! Moi
vouloir Paris ! Parlerai-je un jour de son pays comme il
parle de la France ? se demande BW.
Après ces adorables préambules, le capitaine, rétabli
dans la dignité d'une fonction qu'un vent occidental a
un court instant perturbée, se voit soudain saisi d'une
pulsion inquisitrice. Dans un anglais tout ruisselant
de *r*, il cuisine son prisonnier pendant plus de deux
heures : quelles sont les raisons secrètes de la présence
de Mister dans un verger, la nuit, à trois kilomètres de
Kandahar ? Dans un verger ! Pourquoi ? Cela est très
bizarre. Cela est très louche. Quelle ruse un tel plan
dissimule-t-il ? Qui l'envoie ? Mister a-t-il une mission
spéciale à accomplir ? Pourquoi Mister cherche-t-il à
le berner ?
Et Mister a beau expliquer (en anglais) qu'il ne faisait
qu'inoffensivement y dormir et inoffensivement y rêver
(d'un matelas moelleux), le capitaine prend l'air, à
chaque fois, de celui à qui on ne la fait pas.
BW se dit en lui-même que ses cernes et sa tignasse

lui confèrent sans doute une gueule d'assassin. Mais qu'y peut-il? Il ne doit pas, en outre, sentir bon. Sont-ce des choses en ce pays qui attentent au bon ordre?

Peu à peu, le capitaine cède du terrain, se laisse gagner comme malgré lui par la sympathie, puis finit, vaincu, par confier à BW que sa détention toute provisoire a obéi à une double exigence : primo, provoquer en lui une salutaire terreur pour le cas où il aurait prémédité une quelconque malfaisance, on ne sait jamais avec les étrangers ; secundo, le placer sous sa haute protection s'il s'avérait, comme c'est le cas, innocentissime. Et d'expliquer (à présent d'humeur paterne) que, l'avant-veille, deux dealers italiens avaient été égorgés pour avoir traîtreusement payé leurs fournisseurs afghans avec de faux dollars, et que son emprisonnement préventif (air de triomphe) lui avait évité une sortie aussi expéditive du royaume terrestre.

BW, touché, remercie.

Le capitaine rit beaucoup, comme s'il lui avait joué un bon tour, et les boutons de cuivre tressautent sur son ventre.

Les traîtrises en Afghanistan se paient plus cher qu'en France, commente BW sobrement.

Aujourd'hui : deuxième hospitalisation de BW à la Fondation Rothschild et deuxième intervention sur l'œil droit.

COMPTE RENDU OPÉRATOIRE

Intervention:

Œil droit sous AG, DR bulleux supérieur lié à plusieurs déchirures: vitrectomie 3 voies. PFCL, endolaser, cryo, gaz, C2F6.

Description de l'intervention:

Double désinfection du champ opératoire à la Bétadine avec un temps d'application de 3 minutes. Isolement des cils avec Steri-Strip et Tegaderm. Désinsertion conjonctivale sur 360°. Mise en place d'un terminal d'infusion de 4 mm à 4 mm du limbe à 9h00. Vérification de la position intravitréenne du terminal. Mise en place d'un anneau de Landers. Sclérectomie de 10h00 et 2h00 à 4 mm du limbe. Vitrectomie centrale et périphérique sous système de visualisation grand champ, on injecte du Kenacort dans la cavité vitréenne pour visualiser la hyaloïde postérieure qu'on décolle. Injection de PFCL, la rétine se met à plat.

Retour à la maison. BW doit rester allongé dans le noir, en décubitus latéral droit, pendant une semaine entière. Son chirurgien le lui a prescrit.

Dans le noir, BW revoit Kaboul.

C'est étrange, dit-il: les yeux ouverts je suis dans le brouillard, les yeux fermés j'y vois parfaitement. Devrais-je désormais dormir plutôt que vivre?

BW, les yeux fermés, revoit Kaboul.

Il dit qu'il a connu cette ville par cœur, son tissu, son odeur, son goût, ses ombres, ses pudeurs, son Bazar, ses toits plats et l'enchevêtrement de ses ruelles. Il dit qu'il l'a aimée par cœur. Et sa poitrine se serre à l'idée de ce qu'elle est, aujourd'hui, devenue.

Il reste dix jours au One Hotel. Il fume le narguilé dans le jardin ombreux en regardant, au loin, le mauve des montagnes. Il mange des grenades, lentement, grain à grain. Lorsque le soir descend, il arpente en tous sens la ville de son âme. Car tout en elle lui est aimable.

À l'heure de dîner, il flâne sur la Chicken Street où règne la même ambiance, dit-il, qu'au bar Sagardi de Valencia. Il se mêle à la foule. S'attable n'importe où.

Il se sent si bien chez les Afghans qu'il décide de s'installer quelques mois dans un village de la province de Maïmana.

Là, il se fait fabriquer dans du cuir de mouton des bottes sur mesure qu'il graisse chaque jour, et s'achète un cheval à l'esprit capricieux qu'il appelle Butterfly. Il sillonne la vallée sur son cheval barbe qu'il monte à cru et, durant ces longues promenades solitaires, son âme, inexplicablement, s'apaise. Un jour, il longe le lac de Band-e Amir et arrive jusqu'à Bâmiyân pour y voir la falaise des bouddhas. L'annonce de leur destruction par les talibans en 2001
déflagrera
explosera
dans sa poitrine

la dilacérera
lui fera mal longtemps.
Mais nous ne sommes qu'en 1969 et BW est calme
comme un arbre.

L'impression d'étouffer des années clermontoises lui
semble à présent infiniment loin et comme appartenant
à l'histoire d'un autre. Tout en lui désormais résonne
autrement. Ici, il se sent chez lui, il se sent beaucoup
plus chez lui que chez lui. Plus accordé. Plus doux. Son
destin serait-il de rester auprès de ces gens ? Certains
soirs, il en caresse le projet. Sans trop y croire.

BW dit À cette époque, et malgré mes minces, mes très
minces, mes très très minces dispositions au bonheur,
j'étais ce qu'on appelle, tiens-toi bien, heureux.

Le soir, BW mange dans une échoppe où on lui sert,
jour après jour, le même ragoût de mouton. Jalil, le
cuisinier, passe une partie de son temps à tricoter des
chaussons de laine, assis très dignement près d'une
cage à oiseaux où pépient deux perruches d'un vert
artificiel. Tout en tricotant, Jalil apprend à BW à dire
merci, bonjour et au revoir en afghan. Ses yeux sont
un repos, sa rude gentillesse un havre, et chacun de ses
gestes la réfutation radicale du malheur d'exister.

BW, de son côté, lui apprend à dire en français : Et
pour Monsieur ce sera ? Ça le fait rire. Et lorsque vient
l'heure de se mettre à table, Jalil, hilare, lance désormais
à BW : Et pour Monsieur ce sera ? Et ensemble ils
éclatent de rire.

BW interrompt son récit pour me dire qu'il s'est souvenu tout d'un coup de cette recommandation que Flaubert adresse à Louise Colet : *Notre cœur ne doit être bon qu'à sentir celui des autres.* Le cœur littéraire, s'entend.

Crois-tu, dit BW, que le cœur de ton livre sentira le mien ?

Mais laissons Gustave chapitrer sa dinde et revenons à nos moutons afghans. Et à leurs bergers.

BW me redit qu'il aime infiniment la beauté de ces gens. Leur sagesse. Leur courage. Le calme de leur vie. Leur sens de l'essentiel. Leur hospitalité magnifique. BW n'en finirait pas de faire leur éloge. Leur élégance naturelle. Ce quelque chose d'altier, de souverain dans leur maintien. Et la dignité de leurs vieillards, assis sur un banc, immobiles, les mains noueuses posées sur un bâton, la tête enturbannée, très droite, les traits précis qu'on dirait taillés dans du bois, les yeux étincelants et calmes. À cette époque, le pays n'a pas encore connu l'occupation russe ni la terreur talibane. Plus tard, BW sera déchiré par les désastres qui s'abattront coup sur coup sur ce pauvre pays.

BW est heureux, disais-je, avec les Afghans, heureux en tout cas autant qu'il peut l'être. Mais il lui faut encore s'en aller. Céder à sa pulsion nomade. Est-ce une maladie ? Quitter l'Égypte, dit BW comme s'il y était condamné.

Pardon ?

Afin de m'expliquer quel sens a pour lui sa fuite d'Égypte, BW se lance dans un panégyrique à la gloire des départs que voici exposé :

Va-t'en, dit Dieu à Abraham, dit BW. Va-t'en de la maison de ton père et tiens pour étrangers les gens de ta famille. Va-t'en de ta patrie vers le pays que je te montrerai. Sépare-toi de cette Égypte de malheur qui fait de toi un humilié. Mais sépare-toi surtout de ton Égypte intérieure, celle de tes routines et de tes préjugés, celle de tes catéchies et de tes servitudes mentales.

Ça c'est de l'éloquence ! fais-je.

Car vivre c'est quitter, pas d'autre issue pour l'homme, je cite la Hagada, s'enflamme BW, passionné qu'il est des textes religieux. Car vivre c'est quitter père et mère et tout ce qui nous lie jusqu'à nous étrangler. Vivre c'est se quitter, c'est savoir être soi et échapper à soi, c'est savoir être soi et un autre que soi, on n'est un homme qu'à cette double condition, c'est le philosophile qui le dit, ma chérie.

Qui ça ?

Car penser c'est quitter les terres familières pour en peser le poids depuis une autre rive. Car parler c'est quitter, puisque les mots ne rejoignent jamais ce qu'ils nomment, puisqu'ils n'expriment jamais exactement le centre de notre être. Quitte ta langue Paolo Uccello, exhorte Antonin Artaud qui a quitté dans d'affreuses douleurs notre langue commune pour tenter de parler la langue de ses nerfs.

Puis, dans un éclat de rire : Il n'échappera point à ta pénétration que toutes ces explications poéticométaphysicoreligieuses ne sont peut-être que du vent. Et si je n'étais qu'un agité? un écervelé? un instable doublé d'un caractériel? un malade mental atteint de manie ambulatoire (maladie répertoriée, précisons-le, dans les manuels de psychiatrie)?

Je sortis dans la ville sans fin. Ô fatigue! Noyé dans la nuit sourde et dans la fuite du bonheur.

Or donc un matin, dit BW en jetant une boule de papier à la chatte Camille pour le plaisir de la voir jouer, un matin je fuis le bonheur afghan et me taille en direction du Pakistan.

Regarde-moi cette conne qui doit avoir dans les quatre-vingts ans, dit BW tendrement (il parle de la chatte Camille) et qui joue comme si elle en avait trois! Un peu de dignité, quoi! lance-t-il à la chatte, un peu d'amour-propre, Bon Dieu! alors que celle-ci se livre à une série de bonds entrecoupés d'accélérations brusques et de tête-à-queue admirables de technique.

Après six heures en car sur une piste épouvantable, BW fait un arrêt de quelques heures à Djalalabad, près de la frontière indo-pakistanaise.

Dans les rues de la ville, des hommes vendent, très ostensiblement, des armes lourdes. On entend des coups de feu. La tension est palpable. Les visages durs. L'angoisse suinte des murs. L'angoisse, BW l'a cent fois vérifié, l'angoisse est avec la peur, la honte ou le soupçon, une chose tangible. Un vautour noir traverse le ciel gris. BW se dit qu'il ne s'attardera pas dans cette ville. BW obéit toujours aux premières impressions qu'éveille en lui un lieu. Idem lorsqu'il voit, pour la première fois, un visage. Idem lorsqu'il lit la première phrase d'un manuscrit. Il dit de lui J'ai des antennes supra-sensibles. Il dit de lui Je suis de la race des instinctifs. Il s'en enorgueillit. C'est l'une des rares choses dont il s'enorgueillit.

BW reprend le car qui grimpe péniblement une route caillouteuse, franchit la Khyber Pass, arrive au Pakistan dans les hauteurs du monde, puis redescend vers Peshawar à 30 à l'heure maximum.

Peshawar.
BW a souvent entendu que le Rainbow Guest House était le seul refuge de la ville pour les Occidentaux. Il s'y rend. L'architecture intérieure du bâtiment est conçue sur le modèle d'une prison anglaise. C'est de mauvais augure. BW pousse une porte. Des jeunes gens anglais, hollandais, espagnols, italiens, français, sont couchés à même le sol au milieu de canettes vides et de seringues usagées, inertes, avachis, complètement défoncés.
BW est envahi d'une pitié égale à sa colère.

Il éprouvera souvent ces sentiments indémêlés lorsqu'il croisera sur sa route ces jeunes gens qui, partis chercher par idéal un autre monde, n'auront su trouver, en chemin, que la déchéance ou la mort. Ces jeunes gens seront nombreux pour qui le voyage n'aura été qu'un suicide pauvrement maquillé. Rencontrés, pleins d'allant au début de leur périple, BW les retrouvera quelques mois plus tard, loqueteux, misérables, héroïnomanes, détruits. D'instinct, il les évitera.

Je suis sans doute parti de Clermont, dit BW, pour trouver un pays où vivre valait la peine de braver la mort, un peu de grandiloquence ne nuira pas à ton livre, de braver la mort, reprend BW, pas de lui céder!

Il ne lui cédera pas.

Du voyage conçu comme une tauromachie.

Et l'édition?

Pour toute réponse : un haussement d'épaules.

Petite parenthèse à propos de la tauromachie.

BW et moi en connaissons mal les figures légendaires, mais suffisamment pour savoir que, dans les années 80, un toréador qui se nommait Ojeda se montrait si parfait dans ses gestes, si élégant dans sa manière, si épris de son art qu'il échouait régulièrement au moment de mettre à mort la bête. Quelque chose en lui, de plus fort que sa passion, de plus fort que sa volonté, de plus fort que toutes les lois de la tauromachie, quelque chose en lui ne pouvait consentir à ce geste. Et ceux qui l'admiraient, l'admiraient, précisément, pour et malgré cela.

Je ne sais expliquer pourquoi, mais les départs de BW me font penser à cette histoire.

Ce matin, BW a le visage triste.

Il dit Je suis foutu, je ne retrouverai plus la vue pour lire.

Puis dans un rire faible : Un véritable éditeur, enfin !

À Peshawar, BW reprend un train pour l'Inde. Partir, partir, partir. Se sauver comme on le dit si bien. S'en aller au-devant. Mais au-devant de quoi ? J'ai peur de le savoir, dit BW. Enfin, j'ai des idées. *La mort a-t-elle jamais rattrapé quelqu'un au cours de cette traversée ?*

Le train est bondé, son allure paresseuse, sa chaleur oppressante, la promiscuité effroyable. Mais tous les passagers demeurent impassibles. Cette impassibilité dont il est dépourvu plaît infiniment à BW. Il la perçoit comme la preuve d'une élévation philosophique qui manque cruellement aux hommes d'Occident.

Première nuit à Delhi dans un hôtel minable. La moiteur est telle que BW ne parvient pas à s'endormir. La température avoisine les 40°. Il n'a jamais connu une chaleur pareille.

Dans la touffeur indienne, le corps, dit BW, s'alourdit, s'avachit, s'affaisse. La torpeur vous gagne. La pensée s'amollit puis s'affale à son tour. Le sang stagne. Vous êtes une mare. Vous mourez de soif. Vous désirez la mer. Vous la boiriez entière si vous le pouviez. Avec des glaçons.

BW monte sur le toit de l'hôtel dans l'espoir d'y trouver, à défaut de la mer, un peu d'air. C'est alors qu'il aperçoit des milliers de cerfs-volants accrochés au ciel. BW n'oubliera jamais cette vision, jamais. Que voyager est beau lorsque, après la fatigue du jour, un ciel violet s'allume sur des milliers de cerfs-volants de toutes les couleurs ! Et toi, mon enfermée, tu ne connaîtras jamais ça, dit BW qui fait mine, soudain, d'être fâché.

BW dort sur le toit, couvert d'un ciel sublime.

Peu à peu, dit BW, se forment en te parlant, des cerfs-volants, des ciels violets, des routes, des hôtels, des événements de ma vie que je croyais à jamais oubliés et qui, aujourd'hui, se chargent d'une signification qu'ils n'avaient pas lorsqu'ils survinrent. Je sais que tu vas, en les écrivant, les réinventer, les recomposer dans le sens qui est le tien. Je sais que ta fiction aura préséance sur ma vie. Et au fond, ça m'arrange.

Mais n'essaie pas s'il te plaît d'arracher une forme à l'informe comme tu pourrais en être tentée. N'essaie pas de faire de mes chemins tortueux des avenues larges et fréquentables. Ne leur fabrique pas à tout prix la bonne direction. Ne t'évertue pas à justifier l'incohérence de leur tracé, ni à en égaliser les blocs disparates.

Si tu me résumes, résume-moi à mes départs. C'est peut-être ce que je quitte, ce de quoi je m'absente, qui me désigne avec le plus de justesse.

Nada me pertenece sino aquello que perdí.

Quant à moi, je vais me mettre à découvert, te mentir le moins possible, et m'interpréter le moins possible.

À défaut de voyager dans des terres inconnues, ce que j'aime par-dessus tout, je vais me parcourir. L'expression est de Michaux et elle me plaît infiniment. Je vais me parcourir en parcourant mes souvenirs.

Mais je n'espère pas un seul instant que les confidences que je te ferai m'aideront, un tant soit peu, à me connaître. Conneries que tout ça. Ni à apporter ma pierre à l'édifice littéraire. Ni à mettre ma marque sur l'époque. Ni à changer d'un iota quoi que ce soit dans le monde de l'édition. Ni à étendre ma notoriété jusqu'aux ruelles du bas Meudon.

J'ignore ce qui se dégagera du récit que tu feras de ma vie. J'ignore vers où il pourra nous mener toi et moi. J'ignore quelles seront les choses qui seront retenues, pour ou contre moi.

Mes prouesses sportives, qui me semblent aujourd'hui beaucoup moins prestigieuses qu'autrefois ?

Mes voyages et l'amère tristesse qu'ils laissèrent en mes veines ?

Mes trente ans acharnés dans l'édition jusqu'à l'impossibilité finale ?

Les livres que je n'ai pas écrits ?

Ce que nous ne dirons pas de notre lien d'amour farouchement gardé?

Ce que tu auras passé sous silence, ces mille choses que tu auras passées sous silence?

Je ne sais pas, du reste, ce que j'escompte de ce livre.

Qu'il me débusque?

Qu'il m'absolve?

Qu'il transforme ma vie, qui est sans intérêt, en littérature, et fasse résonner chez le lecteur je ne sais quel écho de ce que fut l'existence d'un homme né le 20 septembre 1946 au Portel, commune du Pas-de-Calais, France, et qui aima les livres autant que les femmes et que

Et que quoi?

Et que les bêtes.

De tous ses souvenirs qui concernent les bêtes, le plus triste est sans doute celui-ci :

BW est à Agra, dans le nord de l'Inde. Il vient de monter dans une de ces carrioles déglinguées comme il y en a tant, traînée par un de ces chevaux efflanqués comme il y en a tant. Une fois assis, l'extrême maigreur du canasson le frappe. Il est mal à l'aise. Mais il a vu tant de bêtes survivre aux pires chargements qu'il ne s'alarme pas outre mesure. Le conducteur lui demande en anglais d'où il est originaire. BW est bien emmerdé pour répondre. D'où suis-je? se demande-t-il. Je ne sais pas, répond-il, pris de court. Vous ne savez pas! s'écrie le conducteur.

De Valencia, dit-il. En Espagne, dit-il. Un pays d'excités et d'anarchistes, dit-il. C'est pour ça que j'en suis parti, dit-il. Maintenant je respire, ouf. Le conducteur est tout à fait satisfait de la réponse. Il semble, par ailleurs, en grande forme, et manifeste son entrain en fouettant, en cadence, les flancs creux de la bête, déjà meurtris par le harnais. On dirait que ça le requinque, les coups de fouet. Comme pour d'autres l'alcool, ou les baffes envoyées aux enfants, tellement stimulantes, à ce qu'on dit.

BW se demande s'il ne va pas quitter ce sinistre attelage. Mais au moment précis où il forme cette pensée, la carriole passe sur un dos-d'âne, les limons soulèvent le cheval, et celui-ci retombe au sol, pattes écartées. Mort d'un coup.

BW et le conducteur mettent aussitôt pied à terre.

Le conducteur détache la bête du licol et pleure à gros sanglots. De quoi désormais va-t-il vivre? Comment va-t-il manger? Tels sont les mots qui en premier lui viennent à la bouche.

BW caresse doucement la tête de l'animal.

On pourrait écrire plusieurs sommes sur BW et les animaux, sur le lien passionné de BW aux animaux, aux animaux qu'il rencontre en France, les chats, les ânes, les vaches, les cochons et les chevaux essentiellement. BW se sent moins d'affinités avec les chiens. Qu'il n'apprécie qu'en sauce, dit-il. À la pékinoise.

BW qui n'en finit pas de s'étonner devant l'ampleur de leur chagrin lorsqu'on les quitte (les animaux) et dont ils meurent, leur silence métaphysique, leurs espiègleries, leur tendresse, leur cruauté pure de tout remords et mille choses encore que je ne sais pas dire.

BW qui n'en finit pas de méditer sur l'incondition animale.

BW qui donne le meilleur de ses plats à la chatte Camille (morceau de foie gras, coquilles Saint-Jacques, part de gigot...).

BW et son faible pour les vaches, leur longanimité, leur mugissante mélancolie, leur oblative tendresse, leurs ruminantes méditations. Vivre avec une vache, quelle mansuétude! et quelle paix! Si un jour, par malheur, je me marie, ce sera avec une vache! s'écrie-t-il. Une vache ou personne! (Notons, à l'usage des étudiants en psychologie, le parallèle qui s'impose entre l'amour inconsidéré de BW pour les vaches laitières et son attraction secrète pour les femmes à forte poitrine.) Et qu'on ne vienne pas me dire, proteste-t-il, qu'il est ardu de lier conversation avec une vache. Car je rétorque aussi sec: Pas plus qu'avec Monsieur Bartissol ou Madame Pite! Et plutôt moins!

BW qui se demande pourquoi les hommes se sont, de tout temps, privés de cette relation aux bêtes. Quel manque monstrueux! Quelle aberration! Quelle fatuité! Quelle imbécile arrogance! Passer à côté de tant de richesse sans la voir! Quel gâchis!

Mais dans ses animalesques affections, toutes les bêtes de la création n'occupent pas dans le cœur de BW la même place. Par association d'idées, BW se rappelle que, le soir dont il me parle, dans la chambre infecte du Aunt Lounge qui lui a coûté, tout compris (bruit, chaleur, angoisse et rat compris), qui lui a coûté quatre roupies, il passe une bonne partie de la nuit à traquer l'énorme rat qui a jailli de la douche, lequel ne lui inspire aucune espèce de sympathie, ce qui s'appelle aucune. Après une vingtaine de tentatives ratées, il finit par l'emprisonner sous un seau. Mais le rat se débat, le seau bouge, le charpaï grince, les lézardes dans le mur dessinent des formes monstrueuses et BW, qui ne peut trouver le sommeil, sent une immense tristesse l'envahir.

Les voyages forment à la tristesse, dit BW.

Puis il corrige : Les voyages sont ma joie, mon espoir, ma déception et ma tristesse. Comme les meufs. Violons, please. Et que ça sanglote, nom de Dieu !

Je suis en train d'écrire ce qui précède lorsque BW m'appelle pour me citer une phrase, Écoute ça. Je pense qu'il s'agit d'une phrase d'écrivain à la forme parfaite. J'accours. C'est une phrase de Jean-Pierre Coffe : Il est fâcheux de constater que les jeunes gens d'aujourd'hui n'aiment pas le lapin.

Et c'est pour ça que tu me déranges !

C'est pour ça, dit calmement BW. Il me semblait fondamental que tu le susses.

Que je sache que les jeunes gens d'aujourd'hui n'aiment pas le lapin?

Oui, dit BW sans un sourire. Je tenais, chère amie, à proposer cet adage à votre haute considération.

N'importe quoi!

BW reste vingt mois en Inde et fait, pour gagner sa vie, n'importe quoi, ce sont ses mots.

Il ne souhaite pas s'étendre sur ce n'importe quoi.

Serait-il inavouable?

J'ai jamais tapiné, précise-t-il, froidement. Ou alors sans le savoir.

Il veut bien avouer, puisque j'insiste, son expérience de figurant, à Bombay, dans des films produits par la télévision indienne et destinés alors au marché arabe. Une aubaine, s'exclame BW, car la figuration est bien payée. C'est d'ailleurs avec l'argent gagné que je m'offrirai plus tard un séjour de rêve au Cachemire.

Quel genre de films sont-ce?

Des films où abondent les méchants, les lâches, les traîtres, les menteurs, les délateurs, les ignobles, les pervers sexuels de toutes sortes, et où je joue le rôle de l'Européen exploiteur, usurpateur, colonialiste, alcoolique et furieusement antipathique.

Je n'avais pas à me forcer, commente BW. Je n'ai jamais eu à me forcer pour me rendre furieusement antipathique.

Un jour, dit BW brusquement, j'ai fait quelque chose de mal. Mais je ne sais pas quoi. J'ai beau me creuser la cervelle, inspecter mes souvenirs, je ne sais pas ce que j'ai fait de mal.

Partir pour expier? dis-je étourdiment.

Partir pour expier! Nous y voilà! Les grandes interprétations psychologiques si émerveillées d'elles-mêmes! Veux-tu que nous ouvrions, pour rigoler, l'éventail interprétatif des spécialistes ès âmes grossièrement lacanisés? Je peux t'y aider : partir pour pas niquer maman (paniquer maman hihihi), partir pour se retrouver (quelle horreur!), pour chercher infortune (elle est bonne!), pour se soustraire (se sous-traire!) à la réalité, partir poussé par un vent d'inquiétude (probablement), partir pour devancer ses peurs (ça oui!), pour apprendre à mourir (on n'apprend jamais), pour attiser le désir des femmes (ça me donne des idées), pour savoir ce qu'on perd et le mieux savourer, ça me rappelle une chanson de Jacques Higelin qui m'a long-temps bercé durant mes heures tristes, tu la connais? BW chantonne *Pars, pars, mais surtout ne te retourne pas..*

Hier, BW est retourné consulter le chirurgien qui l'a déjà opéré deux fois pour son décollement de rétine. Celui-ci lui annonce sans détours qu'il lui faudra pratiquer une troisième intervention. Il s'agira, cette fois, de poser un trapèze pour fixer un implant de chambre postérieure type SN 60 WF de 10 dioptries dans le sac.

Un trapèze?

BW demande dans un petit rire s'il serait possible de lui adjoindre, par la même occasion, un clown.

De l'Inde, BW se souvient surtout
Des clowns?

Des trains qu'on pourrait qualifier de clownesques, si tu veux, des trains aux couleurs clownesques, à l'allure, au tangage, aux mugissements clownesques, toujours au bord de basculer tant leur charge est énorme, et qui comme les clowns font vraiment peine à voir.

Il se souvient des voyageurs placides, en équilibre, on ne sait comment, sur d'étroits marchepieds, allongés sur le toit, ou entassés à s'étouffer dans les compartiments sans que la moindre plainte, jamais, ne sorte de leurs lèvres. Ce calme des Indiens dont il est dépourvu, cette placidité de leur âme, BW les regarde comme des choses supérieures.

Il se souvient de la première fois qu'il les a vus en nombre descendre du train lors d'un arrêt en rase campagne, tenant à la main un petit récipient de cuivre, s'accroupir pour faire leurs besoins, puis se laver le sexe et le derrière avec l'eau contenue dans le petit récipient.

Se laver le sexe, là, placidement, et à la vue de tous, se laver le sexe en restant parfaitement indifférents au regard des autres, BW en reste stupéfait. Il comprend en un éclair que le regard des Indiens est myope, foncièrement myope, foncièrement retiré en dedans. Rien de la curiosité fouineuse de l'Occidental, de son appétence pour les choses croustillantes, de son intérêt passionné pour le cul des autres.

Le cul des autres, en Inde, n'existe pas. Chacun s'occupe du sien. Et c'est une liberté formidable.

Le caca des autres n'existe pas davantage. Ou plus exactement, il est un détail superflu. Ce qui permet de déposer le sien bien dignement, en toute tranquillité, et qu'importe l'endroit.

L'hindou s'intéresse à Shiva, à Kali, à Vishnou, à Brahma, à Arjuna, aux vaches dont il peint les cornes de couleurs vives, aux éléments, au ciel, au soleil, à l'air, à l'eau. Pas au cul des autres, ni à leurs crottes, ni à leur façon de baiser.

Car l'hindou est un sensuel. Capable de baiser dans trois cent quarante-six positions différentes, toutes décrites et inventoriées dans le *Kâma Sûtra*. Alors il ne va pas dilapider son temps terrestre à lorgner les contorsions fornicatoires de ses semblables. Pas si con.

En les voyant se laver le cul, là, tranquillement, et sans la moindre gêne, BW comprend que la pudeur indienne n'est pas la sienne, n'est pas la nôtre, qu'elle ne concerne en rien le corps, que tout puritanisme lui est étranger. L'Indien qui est extrêmement pudique avec ses sentiments, comme moi s'exclame BW, l'Indien pour le reste ne fait pas de chichis : il ne rougit pas d'avoir une bite, ne cache pas ses couilles derrière une feuille de vigne, ne connaît pas la honte d'avoir des besoins naturels, je veux dire des sécrétats et excrétats plus ou moins odoriférants. On ne saurait assez méditer ces différences, dit BW, pontifiant à plaisir.

BW ne s'arrête pas là. Quand sa pensée se met en branle, difficile de l'arrêter. L'Indien, dit-il, saisi d'un vif prurit philosophique, l'Indien, vois-tu, c'est l'Autre des philosophes, l'absolument impénétrable, l'absolument intraduisible, l'absolument séparé, celui que je ne peux me flatter de comprendre, mais dont je dois au contraire accueillir l'énigme. Sinon joyeusement, du moins sans crainte, précise BW. Le voyage n'est rien, dit BW, philosophique à mort, le voyage n'est rien s'il n'est pas la perception hospitalière de cette énigme et la secousse qu'elle impulse à l'esprit. Et toi, mon enfermée, tu ne l'éprouveras jamais.

Au fond, le seul courage qui nous est demandé est de faire face à l'étrange, au merveilleux, à l'inexplicable que nous rencontrons.

Quoique, dit BW, et son exaltation retombe, quoique les différences aujourd'hui, ma chérie, s'amenuisent considérablement entre les Indiens et nous-mêmes. Et bientôt, peut-être, nous partagerons les mêmes appétits, les mêmes attitudes et les mêmes dilections. Cette idée me désole. Sauf sur un point précis : notre rapport aux

vaches. Crois-tu qu'un jour nous suivrons leur exemple ?
Ça me plairait beaucoup.

Ce matin, devant le visage sombre de BW, je commets
ce lapsus : Comment ça voit ?
Très amusant ! répond BW, froissé.

De son séjour en Inde, BW se souvient des gares pas
tout à fait semblables aux nôtres et de leurs quais bondés
en permanence d'Indiens couchés ou accroupis.
Les Indiens, remarque BW, passent une grande partie
de leur vie accroupis, et ce qu'ils voient des passants, en
premier lieu, ce sont leurs pieds, lesquels n'expriment
rien, lesquels sont bêtes, lesquels sont muets, d'où le
détachement dont ils (les Indiens) font preuve. Car
il faut le visage, l'expressivité du visage, l'éclairement
du visage, l'âme qui nage sous le visage, pour s'at-
tacher aux autres. Avec tous les emmerdements qui
s'ensuivent.
BW se souvient des quais de gare bondés d'Indiens
qui prient, qui méditent, qui dorment (vivent-ils là ?),
des porteurs de valises (jusqu'à six, vacillantes, arrimées
sur la tête dans un équilibre savant et sans provoquer
la moindre grimace), des vendeurs de thé qui crient
tchaï la la la tchaï la la la, et des centaines de men-
diants estropiés, manchots, aveugles, béquillards et
unijambistes qui y défilent, chacun son style, comme
pour la parade, les uns tendant l'écuelle, les autres

plus modernes répétant bakchich please, bakchich please...

BW se souvient des temples aux intérieurs d'une obscène hideur. Y aurait-il un lien, se demande BW, entre ces dégoulinades dorées, ces couleurs criardes, ces bouddhas ventrus, ces statuettes en toc toutes pleines de bras, ces babioles plus moches les unes que les autres (on se croirait dans le salon de ma tante Yvette, plaisante BW), y aurait-il un lien entre cette écœurante débauche de laideurs et le Grand Vide auquel aspire Bouddha?

BW se souvient que, certains jours, il meurt d'envie de recevoir une lettre affectueuse ponctuée de tendres sobriquets, ma biche, mon lapin, mon chevreau, mon agneau, gatito, gatito mío, n'importe laquelle de ces zoophiliques appellations, il se contenterait même d'un toutounet, au point où il en est.

Il se dit qu'il fait trop seul en lui, trop froid, que le colloque avec son ombre a assez duré et qu'il lui est devenu pernicieux, sinon stérile.

Il a longtemps souhaité ne parler à personne, s'exiler de sa langue, rompre tout lien avec le familier. Il s'est longtemps tenu dans une pure, une hautaine, une héroïque solitude. Il a voulu mener jusqu'à son terme l'épreuve du retirement. Romantique à mort! ricane BW. Ridicule!

À présent, il serait prêt à toutes les bassesses pour obtenir une petite parole d'amitié. Trois mots. Du premier venu. D'un huissier, d'un gendarme, d'un inspecteur des impôts, qu'importe l'uniforme pourvu qu'il y ait les mots, si j'ose cet axiome d'une grande nullité, dit BW. D'un chef de la Sûreté, même, c'est dire la disette.

Ah, tailler une bavette! soupire BW. Avec n'importe qui disant n'importe quoi d'à peu près recevable : les avantages de souscrire à la MAAF, les avancées spectaculaires du clonage reproductif, la déconsidération cher Monsieur où l'on tient la littérature, disant n'importe quoi, mais avec amitié. Car au fond, dit BW, au fond du fond du fond, j'ai un cœur de midinette.

Or, remarque-t-il, or l'hindou est calme, détaché, pacifique, grandes vertus s'il en est, mais il n'envoie jamais de signes d'amitié pour cœurs de midinettes. Cela n'est pas dans sa mentalité.

Il sait entrer en méditation comme personne, mais envoyer des signes d'amitié, ça non, il ne sait.

L'hindou est peu accort.

Accort?

Oui, accort, de l'italien accorto, si tu veux savoir. L'hindou est peu accort au point que si, malencontreusement, tu agonises à ses pieds, il t'enjambe sans broncher. Son esprit est ailleurs, voué au Grand Tout. Il lui en faut plus pour l'émouvoir. L'idée ne lui vient pas, au demeurant, de te tenir la main. Encore moins de pousser l'indécence jusqu'à te consoler. Pourquoi consoler quelqu'un qui est sur le point de se réincarner en singe ou en grenouille, en grenouille ? ou en caïman si tu préfères, et qui est en passe de quitter ce monde de vains errements et de grossières illusions ? Du reste l'hindou est peu communicatif et guère enclin à établir avec les étrangers, comme d'ailleurs avec quiconque, des relations dites de franche camaraderie. Ce qu'il aime, par-dessus tout, l'hindou, c'est parler à ses dieux. Et question dieux, il est verni. On peut même dire qu'il n'a que l'embarras du choix.

Une nostalgie, c'est bien connu, en appelle d'autres. Si l'amitié manque cruellement à BW, lui manquent aussi beaucoup, bien que moins cruellement :

– les croissants du matin trempés dans le café, qui ravigotent,

– les journaux qu'il lit toujours dans une colère contrôlée,

– le vin, je me vendrais certains jours, dit BW, pour un verre de sancerre, je me vendrais pour un steak-frites,

– les slips en dentelle de Sarah dont la seule vue le fait bander.

– la mariposa de sus besos,

– la voix de Catherine Langeais, légèrement bêlante et extrêmement propre,

– les odeurs d'after-shave, qui sont pour lui comme l'essence, le concentré de la culture européenne,

– les activités fornicatoires et leurs subséquents effets, ah la nique, ah les pipes, ah le stupre, ah l'amour dans les bras de Juliette, de Sylvie, de Nicole, ou même d'Amandine, aucune disgrâce ne saurait m'arrêter ou d'Henriette, une vraie planche à pain, ou même de Carmela dont le regard strabique lui donnait l'air rêveur. N'importe laquelle, en vérité, pourvu qu'elle ait une bouche, deux bras, deux seins, un ventre et (dans un soupir) quelque chose comme une chatte. Et qu'elle soit (changement de ton) à portée de main, nom de Dieu! Et qu'elle m'enlace à m'étouffer. Et qu'elle dégoise, qu'elle dégoise, qu'elle dégoise. Et qu'elle dégoise sur tout et sur rien, et surtout sur rien. Et, j'oubliais l'essentiel, qu'elle m'offre un vrai lit, en 160. Avec plein d'oreillers, huit. Dans une vraie chambre, superluxe. Et que nous nous entrechoquions avec fureur, puis que nous nous combinions comme deux bêtes puis que nous nous emboîtions du mieux possible, puis que nous nous collions l'un à l'autre en poussant de longs braiments, puis, la chose expédiée, que nous nous livrions réciproquement au pressement de nos points noirs ou autres semblables tendresses en échangeant des serments mirifiques tout en les sachant parfaitement bidons, ah!

Telles sont, exposées avec sentiment, les élucubrations lubriques d'un voyageur fourbu, frustré, fou de solitude, et saisi de regrets si vifs qu'ils lui donnent envie de pleurer. Si on m'avait dit un jour que je pleurerais ma trapie, ma patrie, ou tout au moins le cul de ses habitantes! Car là où est le cul des femmes, là est ma patrie, s'exclame BW, grandiloquent.

À quel moment sa nostalgie s'allume-t-elle ?
L'algie du *nostos*, du retour, qui est en vérité pour moi si je veux être franc, l'algie du retour à ma bite, s'allume en général au bout d'un séjour de cinq mois et deux semaines hors de ma terre natale.
Comment survient-elle ?
Elle survient comme l'orage, et se dissipe tout comme lui.
Peut-on la prévenir ?
En l'état actuel de nos connaissances, il n'existe pas contre elle de traitement connu. Hormis la soûlerie. Ou des cataplasmes de concombre glacé appliqués sur la queue. J'ai perdu mon fil, avec tout ça. Où en étais-je ?
Oui, s'il te plaît, revenons à des choses chrétiennes.

BW se souvient du Gange. L'Allier, à côté, n'est qu'un pissat de chat. Et d'un triste ! Et d'un mesquin ! Et d'un riquiqui !

BW se souvient des tours du silence à Bombay où des corbeaux déchiquettent d'appétissants cadavres.
Il se souvient du bruit que font les crânes en explosant sur les bûchers qui brûlent sur les bords du Gange.
Il se souvient d'avoir buté sur un mort en se frayant un chemin dans la foule, à Calcutta.
La mort, en Inde, est présente partout.
On vit avec.
Elle n'effraie pas.

Elle est de la famille.

Elle s'invite à la table commune.

La mort en Inde n'est pas morbide. D'ailleurs elle est en couleurs.

Que n'ai-je l'âme d'un hindou, regrette BW.

L'hindou est, décidément, l'Autre, continue BW. Le sujet littéraire par excellence. S'ensuit un petit développement pédagogique sur l'Autre en littérature, le radicalement différent, l'indéchiffrable, l'énigmatique, l'absolument étranger dont le dernier refuge dans nos sociétés où règne sans partage la figure du Même, dont le dernier refuge est le roman, ma chérie, ne l'oublie pas, le voilà qui se prend pour son ami Dominique Quessada.

Tandis que je note ce qu'il me dit, BW qui commence à se lasser de son séjour en Inde me propose un pari : celui de placer deux fois et à bon escient le mot prolepse dans le livre, tope là. Si j'y parviens, il me donne 50 euros. Si j'échoue, je lui en donne 50. En voici déjà un de casé.

Je relance BW : quels autres souvenirs a-t-il gardés de son séjour indien ?

BW se souvient du pont d'Howrah à Calcutta où, malgré les effluves nauséabonds et une circulation affreusement bruyante, des familles dorment, mangent, pissent, défèquent, baisent et meurent, là, à même le sol, sur le bord de la chaussée, dans une misère répugnante, au milieu d'épluchures, de détritus, d'ordures et d'ustensiles en tous genres. Toute une vie sur un pont. Comment l'idée de fuir ne leur vient-elle pas ? s'interroge BW. Ça me troue le cul.

BW se souvient des putains de Sonagachi à la chevelure noire, et des fillettes par centaines qui attendent de le devenir.

BW se souvient d'avoir suivi des hommes qui avançaient à genoux dans les rues de Rishikesh, ville sainte. Mais de quel crime les punit-on ? On explique à BW que ces pèlerins progressent ainsi jusqu'à la source du Gange afin de gagner leur salut. Devrai-je marcher à genoux dans mon âme jusqu'à sa source ? dit BW qui affecte, pour l'occasion, un air poétique des plus inspirés. Jusqu'à sa source ! écoute-moi ça !

Puis, sitôt après : Ne crains-tu pas que la relation de mon voyage lasse la patience du lecteur le mieux intentionné ? Quoique, tu le remarqueras, je lui fasse grâce des descriptions paysagères, superflues autant qu'incidentes, et des épanchements naturalistes y associés, toujours hautement fastidieux, n'est-ce pas ? mais extrêmement chers à nos chers écrivains voyageurs.
Il me semble, dit BW, que je le vois, le lecteur, bâiller et rebâiller, puis s'écraser le nez contre la page.

Ne faudrait-il pas, pour corser le récit, y glisser une touche de pittoresque ? ou du cul, chose précieuse comme on le sait à nos prélats et à nos militaires ? ou un meurtre effroyable du goût de nos enfants ? ou une femme fatale avec des yeux gris-vert et le derrière inquiet ?

Tu n'as qu'à écrire, propose BW saisi d'une soudaine inspiration, que je fus dans une autre vie agent pour le Mossad,

ou tueur en série,

voilà qui tiendrait en haleine ! voilà qui mettrait du nerf et multiplierait par cent les ventes de ton livre !

À défaut de meurtres en série, BW a-t-il fait des rencontres qui viendraient apporter quelque piment à cette histoire ?

En fait de rencontres, BW se souvient des rares qu'il noue avec de jeunes Européens déguisés en Indiens, chemises de nuit orange et tongs en caoutchouc. Serait-ce donc en Inde tous les jours Carnaval ?

À cette occasion, BW m'indique avec vigueur que, lui, ne s'est jamais travesti, jamais, ni physiquement, ni hélas (c'est lui qui dit hélas) moralement, et ce, ni en Inde, ni en France, bien qu'il sache qu'en France mieux vaut, par précaution, déguiser ses pensées passionnées.

Toute pensée passionnée, en France, alarme, dit BW, c'est embêtant.

Or BW n'a que des pensées passionnées, j'y peux rien.

Et des imaginations ardentes, j'y peux encore moins. Et des affects incandescents. Qu'il s'épuise à refroidir. Ou à dissimuler.

J'aimerais tant avoir une âme froide, soupire BW, plutôt que cette bouilloire !

Toujours à vif, BW, ardent, impétueux, feu et flammes. Toujours pétulant, non, pétulant n'est pas le mot. D'une sensibilité frémissante, voilà qui est plus juste. Toujours en surchauffe. Véhément, même dans le sommeil. Fringant ou mort, ou l'un ou l'autre, ou l'un et l'autre, mais jamais entre. Tantôt prostré, gisant, éteint, désespéré, tantôt emporté, piaffant, ruant, au bord de l'emballement (note pour les étudiants en psychologie : pareil à ces enfants remuants qui, laissés pour morts à la naissance, s'agitent ensuite sans compter à seule fin de prouver aux autres et à eux-mêmes qu'ils sont irréfutablement vivants), tantôt tumultueux en dedans et impavide en dehors, ou l'inverse, BW vomit la tiédeur et, par-dessus tout, la tiédeur littéraire qu'abondamment l'on nous prodigue, s'énerve-t-il, avec laquelle on nous gave, avec laquelle on nous compisse, avec laquelle on nous conchie. Mais parce que (voix forte et mains nerveuses), mais parce que nous le voulons bien, parce que nous voulons bien que la littérature crève au profit de cette tiédasserie qu'on ose appeler littéraire et qui en est sa caricature et, de plus, sa pire ennemie.

Tu es fâché ?

Je déplore, dit BW avec humeur, que les grosses structures

d'édition littéraire ne sachent rompre avec les causes du malaise. Je déplore qu'elles se comportent de façon aussi démodée.

Démodée?

Qu'elles continuent de sacrifier la qualité (qui est l'avenir de la littérature et sa raison d'être) sur l'autel de la finance (qui est sa raison de crever).

Je déplore, ajoute-t-il, qu'elles n'aient trouvé, en fait, d'autre issue que le désastre.

Qu'appelles-tu désastre?

J'appelle désastre, dit BW dont la colère monte, j'appelle désastre ce phénomène qui organise nationalement ou mondialement le plébiscite d'un livre en s'appuyant sur sa médiocrité. J'appelle désastre (*crescendo*) cette pratique qui consiste à mesurer la force bouleversante d'un roman à sa force de pénétration dans les supermarchés. J'appelle désastre (*rinforzando*) le règne exclusif du livre dit lisible et l'écrasement complet du livre illisible, pour reprendre les paroles de Roland Barthes. J'entends d'ici nos ténors m'accuser d'une…

Ne serait-ce là une prolepse? fais-je. 50 euros, please, j'ai gagné le pari.

J'entends d'ici nos ténors, continue BW qui ne relève pas, m'accuser d'une voix outragée de souhaiter le malheur que malgré moi je prophétise, et taxer d'absurdité, de scepticisme maladif ou pire d'hérésie ce qui n'a qu'un seul tort, c'est de les déranger.

Je les entends déjà s'écrier que je pousse, que j'invente, que je délire, que je blasphème, que je cause comme un anarchiste, que je jalouse, que je traîtrise, que je crache dans la soupe, mais j'ai horreur de leur soupe! que je bavasse et que je peins en noir toutes ces choses roses. À quoi je réponds incontinent:

1. qu'ils préfèrent nier un discours qui diverge, bordel de Dieu, plutôt que de poser les problèmes à résoudre et d'y apporter les ressources de leur esprit, manquement dont ils auront à répondre devant l'avenir et qui leur vaudra, je le crains, les flammes de l'enfer (rire sardonique).

2. Et que s'ils continuent de la sorte à enfoncer leur tête dans le sable tout en tremblant de perdre leur pognon, ils finiront par suicider la littérature,

3. ce dont je ne me remettrai pas.

Tu es en colère? dis-je.

Mais pas du tout! éclate BW. Pas le moins du monde! Ai-je l'air de quelqu'un en colère! s'exclame-t-il, tendu à bloc. C'est quand même incroyable de me faire un reproche pareil! Je dis simplement, si tu daignais m'écouter! je dis simplement que leur recherche incessante du profit immédiat et cette horrible tendance des fins utiles qui les caractérisent vont précipiter la fin de l'édition, je parle de l'édition telle qu'on me l'apprit, telle que je l'aimais. Et je soutiens mordicus, ma chère, écoute-moi avant de penser que je radote! je soutiens mordicus que l'abondance insensée de livres misérables mais à consommation rapide va devenir une tumeur proliférante dont l'édition finira par clamser. Et c'est pas de la divination que de le prédire!

J'ai l'impression que tu... dis-je pour l'amener à une forme de dialogue plus socratique.

Que quoi?

Que tu

Que quoi que tu? Tu vas finir par m'énerver à force! s'échauffe BW qui se met à arpenter le salon. Que nous, et je dis bien nous, que nous devrons dans un avenir plus ou moins proche nous préparer à faire le deuil, si déchirant soit-il, de la littérature (car BW est ainsi fait qu'il ne peut s'empêcher de voir plus loin que le réel immédiat et apparent des choses, il ne peut en aucune façon s'empêcher de conjecturer sur l'avenir, et il en souffre, et les autres s'en agacent et s'appliquent à fermer leurs oreilles à ses funestes prédictions).

Personnellement, dit-il tout en feu, j'ai fait ce deuil. Parfaitement. Ou du moins, je le crois. Je n'essaie plus d'en reculer la date. Car c'est, selon moi, le commencement de la fin. Sache pourtant que penser la fin de la littérature c'est penser ma propre fin, ni plus ni moins.

(Éviter absolument de commenter ce beau mouvement dramatique.)

Un quart d'heure passe pendant lequel BW, renfrogné, se tait.

En dehors même des causes financières sur lesquelles je m'acharne paraît-il (sourire d'ironie à mon adresse), l'édition est dans une mauvaise passe, déclare BW à présent plus nuancé, et c'est hautement regrettable.
J'ai parfois même l'impression que l'édition survit aux livres.
Que veux-tu dire? dis-je.
Je veux dire, dit BW, que je lis de moins en moins de livres qui me brûlent.
Ou plutôt non, comment puis-je être aussi injuste?
Je veux dire que nos vies sont ainsi faites que les livres, si beaux si forts si flamboyants soient-ils, n'ont désormais que peu d'impact sur elles.
Nos vies sont ainsi faites que les livres, lorsqu'ils les affectent, ne les affectent que peu, happées qu'elles sont (nos vies) par mille choses hypnotiques qui nous prennent à leur piège.
Nos vies sont ainsi faites (il faudrait pour donner du crédit à de telles assertions citer deux cents essais) que les effets de l'écrit ne sont rien comparés à ceux qu'engendrent les images, et que l'édition, cette buse, continue à faire comme si de rien n'était.
Admettons, dis-je, que la littérature ne soit plus nécessaire à la plupart des hommes. Mais le fut-elle jamais?

Et ne peut-on espérer, si elle meurt demain, qu'elle res-suscite après-demain? *Là où croît le péril croît aussi ce qui sauve*, dis-je.

Amen, dit BW.

La littérature numérique qui est en train de naître et de lever n'est-elle pas en mesure d'ouvrir de nouvelles et enthousiasmantes perspectives? dis-je, dans un subit accès d'optimisme.

J'espère comme toi, dit BW, qu'une mue est possible qui recommencera ce que j'appelais, moi, littérature. Mais j'ai les yeux trop vieux, et c'est peu de le dire, pour en déceler les signes.

Il serait temps qu'elle (la mue) se manifeste. Avant que je ne rende mon billet et avant que la planète ne s'embrase pour de bon.

À moins, dit-il en levant les yeux au plafond, à moins que les secours ne nous viennent du Très-Haut.

L'hypothèse est à considérer, dis-je.

BW se souvient des conducteurs de rickshaw que le Très-Haut a, probablement, dit-il, laissés tomber.

Les rickshaws sont des sortes de triporteurs à deux places tirés par des hommes de trait haletants et cou-verts de sueur, dont la vision, chaque fois, lui serre le cœur. Ce sont à présent des scooters qui tractent ces attelages. Le progrès a du bon.

Mais pas toujours, ajoute BW.

Mais pas dans l'édition.

Mais pas dans ce que devient aujourd'hui l'édition, voilà qu'il recommence.

Car BW qui est âgé de 62 ans a connu l'édition du temps où elle était, dit-il, une culture, une résistance, un monde dont nous n'avons plus idée.

Car BW pense qu'il est avec quelques autres le dernier témoin de cette histoire-là, qu'il est avec quelques autres le dernier spécimen d'une histoire où la valeur d'un texte se mesurait encore à sa valeur littéraire.

Comprends-moi bien, dit BW, je ne dis pas que tout est, pour toujours, foutu. Je dis que je me trouve, présentement, à une intersection historique, que je me trouve pris en tenaille entre la génération de ceux pour qui la réussite financière venait couronner (et quelquefois longtemps après) la qualité d'un texte, et la génération de ceux pour qui la qualité d'un texte est immédiatement jugée à son triomphe financier, je schématise exprès.

Je suis entre les deux, ma chérie. Et pour les deux, j'ai tort. Lorsque je dis aux plus anciens que la littérature telle qu'elle fut conçue jusqu'à ce jour est dans de sales draps, ils haussent les épaules et arguent de sa longévité pour aussitôt en inférer qu'elle est, depuis les temps antiques, increvable.

Et lorsque je rappelle aux jeunes écrivains qu'il fut une époque (héroïque) où la finance ne dictait pas les choix des éditeurs, ils me regardent comme une vieille barbe, un inadapté, un ringard. Je date. Ils pensent que je n'ai pas tout à fait intégré que la valeur argent était la seule traduisible dans toutes les langues du monde. La langue universelle comprise universellement. La puissance universelle de laquelle tout dépend.

Bien entendu, les points de vue des uns comme des autres ne sont pas aussi définis, aussi tranchés, aussi univoques que je les dis. Il y a encore du jeu. Et le désastre économique qui s'annonce va sans doute rééquilibrer les positions et refroidir sérieusement les frénésies financières.

Long silence, après quoi,

J'ai une idée pour sauver l'édition de littérature, s'exclame BW en levant un doigt éclairé (car BW a ce qu'on appelle de la suite dans les idées) : organiser des line-up télévisés en faisant défiler les écrivains en tenue érotique, comme dans les bordels du Nevada.

Si tu te crois drôle ! dis-je.

Redevenu sérieux, BW se souvient d'avoir vu monter dans le car qui le conduit vers le Cachemire un homme au visage tragique et dont les bras sont emprisonnés dans des menottes si énormes qu'elles lui font penser à des pièges à renards. L'homme est encadré par quatre policiers. Personne ne lui prête attention.

Je me sens parfois comme ce prisonnier, dit BW. En m'arrachant à l'édition, je pose un acte dont tout le monde, au fond, se fout.

A-t-il rencontré durant son voyage ceux qu'on appellera plus tard les hippies? dis-je, afin de changer de sujet. BW en a croisé quelques-uns, venus en Inde pour échapper à la guerre au Viêt Nam. Puis il les a vus mourir d'overdose ou perdre la raison à peine quelques mois après leur arrivée. Aujourd'hui, dit-il, ce sont des Israéliens qu'on y rencontre, et je crois pour les mêmes raisons.

BW se souvient d'un ashram à Bénarès où de jeunes Américains, croisés dans la rue, le convient. Tambourins, bougies parfumées, colliers de fleurs, portrait de Ravi Shankar, discours vibrants peace-and-love, tous vachement unis, tous gentils, tous amis, tous agneaux, beautiful-people, flower-power, interdiction de parler politique-venin-du-peuple, amour-cosmique-universel, etc.
BW, qu'une telle vulgarité d'esprit révulse, rétorque à ses mystiques de bazar qu'être l'ami de tous c'est n'être celui de personne, que les hommes sont faits d'impossible et que leur besoin de se mentir est impossible à rassasier.
Il est viré sur-le-champ.
Cela le divertit.

BW, tout à coup: Que ce que tu écris me concernant soit inexact m'est parfaitement égal, ma chérie. Mais ne cherche surtout pas à enjoliver ma vie. Elle comporte des tunnels très noirs, très lugubres et qui… Tiens, à l'instant précis, je revois les immenses portes blindées qui ferment le tunnel interminable de Jawahar reliant l'Inde au Cachemire. J'entends leur fracas énorme lorsqu'elles se referment derrière moi. J'ai l'impression alors d'être pris dans une mâchoire géante dont je ne réchapperai pas. (Notons, à l'usage des étudiants en psychologie inscrits en deuxième année, qu'ils pourront se reporter à l'essai sur *Les Fantasmes de castration* de Louis Arjona, psychanalyste exclu du Sixième Groupe.)

À la sortie de ce tunnel gluant (remarquez la connotation sexuelle apportée par le mot gluant) et sombre, la route file en lacets entre des à-pics effrayants et de hautes parois rocheuses contre lesquelles le car se plaque chaque fois qu'il croise des convois militaires stationnés sur les remblais.

Car l'Inde et le Pakistan se disputent déjà le Cachemire.

Car le Cachemire d'alors est un paradis, dit BW.

Car la ville de Srinagar est un paradis, dit BW.

BW s'y installe.

Il loue pour un dollar par jour une maison-bateau qui flotte sur le lac Dal tout mouvant d'ombres vertes et de fleurs de nénuphars. La maison s'appelle *Jacqueline* (prononcer Jacklaïne). Un majordome cachemeri, Ravi le bien-nommé, se tient à son service, stylé, discret, souriant, et d'une révérence extrême. Pour être moins embarrassé par les égards dont il l'accable, BW l'appelle en lui-même, familièrement, Peter, son accent anglais lui rappelant celui de Peter Sellers dans *The Party*. Peter, tu m'insupportes, dit-il en lui-même lorsque Ravi s'incline devant lui comme s'il était le maharadjah Sri Raja Jagatjit Simhaji en personne. Peter, arrête ton char, dit-il en lui-même, en même temps qu'à voix haute : Thank You Ravi, Thank you.

BW va résider un mois dans la maison-bateau, et son âme, lentement, s'alléger.

Après la fatigue, la soif, la chaleur de fournaise, après le constat dans chaque ville d'une misère à se flinguer, après cette vision (la pire) d'enfants si affamés que les mères les nourrissent de leurs crottes de nez, après les galetas sordides et les chiottes immondes, après les rats énormes, après les maux de ventre, après l'inconfort et les nuits d'insomnie, après la bouffe infecte et les lits repoussants, après les heures anxieuses et l'envie de s'étendre à même le bitume pour ne plus en bouger, après les soûleries où l'on oublie son nom, après les courbatures, après les nausées, après les pestilences, la crasse, les mouches, la merde, après les sanglots ravalés et la nostalgie de l'amour, BW s'offre enfin une saison de volupté.

Car chez BW, le goût de la volupté n'est pas moins remarquable, notez-le bien, que le goût de l'épreuve où il vérifie violemment de quel fer est faite sa volonté.

Cependant que BW me parle de Srinagar, flash info à la radio : le ministre Xavier Bertrand se réjouit qu'*Intervilles* ait lieu pour la septième fois dans sa bonne ville de Saint-Quentin. Cette nouvelle, je ne sais pourquoi, met BW en joie.

Pas de jeux d'*Intervilles* à Srinagar, signale BW. Et l'air qu'on y respire est le plus doux du monde. Si bien que chaque jour je formule le vœu que ce lieu reste à jamais préservé de la fureur et de la connerie des hommes (le vœu de BW ne pourra s'exaucer, car la tension entre les communautés musulmanes et hindoues ira sans cesse grandissant).

Sur la terrasse en bois rutilante de propreté, BW fume des joints en regardant glisser les barques et écoute infiniment la cassette de Coltrane *My Favorite Things*.

Petite leçon de musique : *My Favorite Things* a été enregistré en 1960 dans les studios Atlantic de New York avec Coltrane au sax soprano, McCoy Tyner au piano, Steve Davis à la basse et Elvin Jones à la batterie. Coltrane y reprend le thème d'une valse écrite par Richard Rogers et interprétée par Julie Andrews dans la comédie musicale *La Mélodie du bonheur*.

Tu vois, dit BW, j'attends toujours d'un écrivain qu'il fasse de la langue commune ce que Coltrane fit de cette chansonnette à la con. Crois-tu que c'est possible ? J'aimerais tant.

Il me fait écouter pour la centième fois *My Favorite Things*.

Tu entends comme c'est léger, comme c'est subtil, comme c'est délié, comme c'est libre. Tu entends la douceur déchirante. Tu entends la mélodie qui est dessous, la dysmélodique mélodie? Elle tient à un fil qui est au bord de se rompre, mais elle attache plus étroitement qu'une corde. Tu entends?

BW saisit des baguettes imaginaires et marque le tempo avec une justesse incroyable (il lui manque la tignasse et l'échevellement, mais tout le reste y est).

Bientôt il dirige. C'est qu'il connaît cette musique sur le bout de ses doigts.

Or voilà qu'au plus fort de l'attaque, le téléphone, inopinément, se met à sonner, assommant net l'inspiration de l'artiste.

Déconfit et retombé sur terre, BW se souvient qu'à l'enterrement de Philippe Raulet dont il publia deux romans, *My Favorite Things* qu'il lui avait offert deux ans auparavant sera diffusé dans l'église. La musique dira mieux que les mots les choses favorites que Philippe Raulet, ce jour-là, délaissait pour toujours.

De temps à autre, BW se glisse dans le lac, étire son corps dans l'eau d'une fraîcheur parfaite, et dénoue lentement tous les nœuds de son âme.

Il voit au loin les chaînes de l'Himalaya. Il se fait la promesse d'aller marcher un jour dans leur blancheur. Depuis toujours, il rêve de marcher dans leur blancheur.

Tous ses chagrins anciens se sont comme évanouis.

Et son esprit a faim.

Il lit.

Pendant des heures, il lit.

Son être est grand ouvert. Et les phrases des livres entrent en lui et s'y meuvent.

Il lit, il retombe en enfance, il retombe dans l'enchantement de l'enfance, dans l'enchantement où il tombait en lisant *Le Pays où l'on n'arrive jamais* que lui avait offert tante Simone pour son Noël 1956. BW caché sous les draps d'un lit qui épousait, pour une heure, la forme d'une mansarde dans laquelle il rejoignait au prix de ruses insensées l'enfant fugitif qui avait les manières d'un prince et dont le règne s'était perdu, *Pourquoi t'es-tu sauvé? — Je cherche mon pays. — Quel pays? — Je ne sais pas. Je cherche. — Explique-moi. — Ce serait trop long. — Tu veux toujours te sauver? — Je voudrais bien. — Je vais t'aider,* BW caché sous les draps d'un lit qui épousait à la page 32 la forme d'un cheval pie, lequel l'emportait dans une galopade éperdue à travers la forêt obscure, puis à la page 64 la forme d'un navire secoué par des vagues hautes comme des montagnes, et à la page 80 celle d'un pont sur lequel, accoté, il rêvait, les yeux fixés sur une ligne d'horizon qui reculait, reculait, reculait…

Tout au long de son périple, BW a acquis un lot de ces livres que les routards revendent dans des boutiques lorsqu'ils se trouvent à court d'argent. Il se souvient de quelques titres : *Lord Jim* de Conrad, *La Machine molle* de Burroughs et *Pour qui sonne le glas* d'Hemingway dont la vie lui semble un roman, dont la vie lui semble plus romanesque qu'un roman, et plus dangereuse.

Dans la paix de sa maison-bateau tout emplie d'une odeur de cèdre (il en retrouve à l'instant le parfum), BW décide qu'à son retour en France il exercera le métier qui lui permettra de s'adonner nuit et jour à la lecture.

Lire, me dit BW, signifie aussi appeler en hébreu. Le savais-tu ?

Les livres, à Srinagar, l'appellent.

Les livres appellent son humanité.

BW fera son métier d'appeler.

Il s'y donnera entièrement comme le fleuve à la mer.

Il est calme comme jamais.

Vivant comme jamais.

Rassemblé.

Arqué vers l'avenir.

Et tout, dedans son cœur, lui dicte d'espérer.

Mais vient l'heure où le calme pour BW ressemble à s'y méprendre à la non-vie. Où les gouffres s'entrouvrent. Où les démons s'éveillent. Où les hélices du vertige se mettent à tournoyer. Et il a beau convoquer les joies que l'on dit simples, il a beau s'abîmer dans les gestes

faciles du quotidien, vient l'heure où ces gestes s'effectuent selon une mécanique vide et séparée de lui.
C'est le temps de partir.

BW décide alors de s'embarquer pour l'Australie, passons sur les détails, j'en ai marre des détails. Il va de Srinagar jusqu'à Jaipur dans un 4 × 4 conduit par un Anglais aux cheveux roux et à la peau de lait. Les deux écoutent en boucle, ce n'est pas un détail, *Black Night* de Deep Purple, et reprennent à tue-tête, ce n'est pas un détail, *black night is a long way from home.*
BW dit J'ai gardé de ce trajet le souvenir très vif d'un sentiment de liberté. Je me sentais des ailes.

Puis direction Madras, pressons, pressons, ça traîne, dit BW.
À Madras, BW se renseigne sur les cargos en partance pour Perth.
Justement, le *Snell* part le lendemain à 7 heures du matin.
BW le rate.
Il interprète ce ratage comme un signe du destin.
Le moment ne serait-il pas venu de retourner en France dont il est parti, si ses calculs sont bons, depuis près de deux ans? Du reste, ses économies commencent à s'épuiser, sa curiosité aussi, et sa faim d'autre chose.
C'est la première fois qu'il envisage son retour au bercail (mot qui en latin a la même étymologie que bergerie, on

ne saurait mieux dire, dit BW), son retour au troupeau qu'il a suivi jadis, et son retour au temps, au temps des vies petites et des élans métrés, au temps des agendas et des calendriers, des mille diversions pour échapper au mal et des anciens chagrins qu'il a cru, comme un con, pouvoir fuir.

Le voyage désormais n'aura plus la même lenteur, ni le même goût.

Trajet de Madras à Amritsar en repassant par Calcutta, j'abrège.

À Amritsar (dernière ville de l'Inde avant le Pakistan), BW retrouve Ernie, un Américain de son âge qu'il a croisé plusieurs fois au cours de son voyage et qui est le seul mortel auprès duquel il a pu confier sa passion pour les lettres. Car aux yeux d'Ernie comme aux siens, la littérature est plus importante que la politique, plus importante que

Que les vagues de l'Océan ?

Pas de réponse.

Que la splendeur du ciel sur les collines d'Uzès ?

Pas de réponse.

Que le vin, que l'amour

Je n'aurais jamais dû me lancer dans ces comparaisons, murmure BW, irrité. Pour autant, je ne me range pas à l'opinion commune qui prétend, par goût de la formule, que comparaison n'est pas raison. Je trouve, pour ma part, très raisonnable et très instructif de comparer l'amour d'un livre qui résiste à tout à l'amour des êtres qui résiste à quoi ? à pas grand-chose quand on y pense, mais on y pense peu, et ça vaut mieux. Sur ce, BW s'arrête net, l'air confus, craignant de m'avoir heurtée, puis :

Oui, je disais avant que tu ne m'interrompes avec tes yeux (ne pas relever ! ne pas relever !), je disais que cette passion commune à quoi nous tenons plus qu'à tout (tu en connais beaucoup, toi, des gens qui savent vraiment à quoi ils tiennent ? qui savent quelle est leur raison de ne pas crever ?), que ce plaisir de connaisseurs pour une chose rare et, il faut bien l'admettre, délaissée, pour ne pas dire dépréciée, pour ne pas dire détestée, que cet amour partagé, oui, amour, j'ai dit amour, nous lie très fort Ernie et moi.

Et autant les conversations, en France, avec des gende-lettres, m'assomment, commente BW, autant avec Ernie, dans ce pays où nous errons en étrangers, en fugitifs devrais-je dire, ces conversations nous affermissent et nous augmentent car elles nous offrent, au moins un temps, un endroit fraternel d'heureuse connivence, une oasis où nous désaltérer, une forme de patrie mentale. Ernie me parle de Faulkner que je n'ai pas encore lu. Je parle à Ernie du livre d'Ante Ciliga *Dix Ans au pays du mensonge déconcertant*, par lequel je découvre l'existence des goulags soviétiques et qui me tiendra éloigné à tout jamais du PC. L'un ouvre les yeux à l'autre, et l'autre à l'un le cœur. Alors nous ne sommes plus seuls.

Alors le monde autour nous apparaît moins rêche et comme vivifié. Habitable.

BW vient d'affirmer que les conversations en France avec les gens de lettres l'assommaient. Mais qu'a donc BW contre les gendelettres?
Durant ma jeunesse, explique BW, les gendelettres m'en imposent et je recherche avidement leur compagnie. Je me réjouis d'être adoubé par ceux-là que je considère comme la fleur, l'élite du pays. Mais plus je les fréquente, plus leurs travers me deviennent haïssables.

Quels sont, aux yeux de BW, les travers des gendelettres?
Les gendelettres sont des personnes qui se poussent dans le monde pour s'y faire un nom et une image, à défaut d'y faire œuvre. Veux-tu quelques exemples?

En dehors de son nom et de son image, à quoi le gendelettres s'intéresse-t-il?
Voilà, dit BW:
Un jeune critique, frais émoulu et sujet au rougissement, enchaîne trois phrases sensées devant le gendelettres. Celui-ci, impatient, lui coupe la parole selon la tradition. Qu'a-t-il de si urgent à déclarer? Un ragot. Le gendelettres adore les ragots. Surtout s'ils sont malveillants. Il s'en repaît, il s'en écœure, et voue, à les répandre, l'essentiel de son talent. À supposer qu'il en

ait. Il les colporte, au demeurant, bien que n'y croyant pas lui-même. Mais c'est plus fort que lui. Un vice. Un goût furieux. Une pulsion inextinguible. Quelque chose qui tient de la manie mentale et finit, à la longue, par lui ronger l'esprit.

Quels éléments seraient susceptibles de nuancer cet affligeant portrait?
La suite de la situation précédemment décrite me semble, dit BW, assez évocatrice:
Le susnommé critique, à présent écarlate et un peu dérouté, réussit à placer que tel roman, récemment publié, l'a littéralement soufflé. Le fat (le gendelettres) qui a lu (hargneusement) tous les articles de presse concernant tous les romans parus, et conséquemment tous ceux concernant le roman en question (à peine trois, notez-le bien, dont un très négatif dans le Journal de Référence), le fat lettré ne peut retenir une moue et, toisant le criticaillon, onctueusement dit:
que peut-être, mais qu'enfin, mais qu'en réalité, et compte tenu de l'avis d'Untel, d'Untel, d'Untel et d'Untel, toutes gens d'importance, ce livre, pardonnez cher ami ma franchise, ce livre est une fiente.

Quels griefs surérogatoires peut-il formuler au sujet de l'atrabilaire gendelettres?
Le gendelettre est flanqué d'une épouse qui, oyant ses

paroles, glousse comme une poule. Elle a compris, finaude, que l'écrivain incriminé, cr cr, n'avait point les faveurs de nos hautes instances et qu'il était fort indiqué de glousser à son nom.

Comment peut-il, en quelques mots, décrire la psychologie de l'épouse du gendelettres ?
L'épouse du gendelettres admire son mari à qui on ne la fait pas : il a réglé son compte à Donatien de Sade, étayant sa critique sur l'axiome suivant : De ce qu'on ne sait lire, il faut médire. Charles est d'un radical !

Quoi d'autre ?
Elle raffole (exclamative) des petits restaurants de la rue Oberkampf, ah, la convivialité des gens simples !

Est-ce tout ?
Elle prononce les mots art et création d'une façon qui me dégoûte qui me dégoûte qui me dégoûte.

Quelle attitude adopter devant le gendelettres et sa tassepé ainsi stigmatisés ?
Se tailler à la vitesse grand V jusqu'à la ville d'Amritsar.

Mais encore ?
Leur préférer notre voisin Monsieur Pinton, ou quiconque doté d'un sens de la critique intrépide et

joyeux, mais ne se piquant pas de jouer les Sainte-Beuve.

Je vais le répéter à tout le monde, fais-je, menaçante.

Nous voici donc dans la ville d'Amritsar, loin de Paris et de ses encoquinés gendelettres. BW et Ernie, qui s'y sont donné rendez-vous, s'informent des curiosités de la ville, puis se rendent ensemble au Golden Temple, lieu voué à la religion sikhe, où les routards viennent faire une pause et oublier un bref instant les inclémences que leur impose l'impécuniosité chronique où, généralement, ils se trouvent.

Avec ses allures de carte postale, les coupoles dorées qui lui donnent son nom, ses parois ouvragées d'obsessionnels dessins, ses colonnes de marbre qui en augmentent le faste, et les plans d'eau hollywoodiens qui, pompeusement, le reflètent, le Golden Temple offre à ceux qui pâtissent d'un certain dénuement, et c'est le cas disais-je de la plupart des routards, la vision tape-à-l'œil d'une splendeur terrestre qui, véritablement, vous requinque l'esprit.

C'est au sortir du temple que BW et Ernie sont abordés par un Français, Jean-Louis, qui les supplie de l'aider à passer la frontière indo-pakistanaise pour rentrer au pays. Il a cette expression égarée commune aux héroïnomanes et aux mathématiciens, dit BW.

Aux mathématiciens?

Vois notre cher Albert!

Le Français, poursuit BW, n'a plus rien. Il a tout vendu pour acheter de la dope. Tout. Jusqu'à son sang. Il est à bout de forces. À bout d'espoir. À bout d'imagination. À bout d'expédients. Il n'a plus de papiers. Plus d'argent. Plus de ressources. Plus de bagages. Plus rien. Aidez-moi.

BW et Ernie sont pris de compassion. BW est la générosité même, et Ernie aussi, je suppose, puisqu'il est son ami. BW, il était temps que je le dise, BW est un des êtres les plus généreux que je connaisse. BW (si mon amour pour lui n'égare mon jugement), BW est quelqu'un qui donne sans compter. Son temps, son énergie, son argent, son cœur, ses livres, BW les donne sans compter. On peut même dire qu'il les dispense avec une désinvolture qui, quelquefois, confond. Mieux, qu'il vous les jette.

Mais BW a du mal à concevoir que prodiguer libéralement, comme il le fait, c'est mettre l'autre dans la dette pour peu que l'autre ne se tienne pas à sa hauteur. Et il a, plus encore, du mal à concevoir que la meilleure façon pour l'autre de s'acquitter, c'est de rompre tout lien avec son donateur. BW, quant à lui, dit avoir contracté, à son insu, une dette hypothécaire envers cette instance qu'il appelle, à défaut d'autres mots : Dieu, dette qu'il paie de sa personne, comme on le peut constater, d'où les embêtements sans fin, je ne sais pas ce que ça veut dire, dit BW, mais le disant j'espère le comprendre, **tu comprends ?**

Je comprends, dis-je, alors qu'en vérité je n'entends strictement rien à cette idée d'une dette transcendantale et infiniment reconduite qui ferait de son Dieu : un maquereau. C'est pour moi du chinois. Tu n'as pas une petite faim ? dis-je alors, pour changer de sujet.

BW aime donner, reprenons, aime donner ses opinions politiques, ses colères, ses exécrations, ses gestes d'amitié et ses lectures enthousiastes. Il aime aussi me donner des surprises. Exemple : si je me lève tout doucement la nuit et que je termine en catimini le morceau de tarte restant, je découvre sous le plat un billet où il a écrit : Aurais-tu, ma chérie, la mansuétude de me laisser les miettes ? Et je ris toute seule de me voir ainsi démasquée.

Pour l'instant, ne rions pas, l'affaire est grave : BW et Ernie réfléchissent au meilleur moyen de venir en aide au Français, lequel a tout perdu au long de sa route, de sa déroute, devrais-je dire. À eux deux, ils ont assez d'argent pour acheter un faux passeport au jeune homme. Or c'est, dans ces régions, chose aisée.

Aussitôt dit aussitôt fait.

Ils passeront la frontière jeudi, puisque la frontière n'est ouverte qu'un jour par semaine en raison du conflit indo-pakistanais.

Le jeudi, donc, Ernie et BW, encadrant le Français, marchent à pied en direction de la frontière pakistanaise. Ils font jurer au Français qu'il n'est pas en possession de dope. C'est la condition qu'ils posent pour l'aider à passer. Le Français le jure. Ils le font rejurer. Et le Français, la main sur le cœur, rejure sur Dieu et sur sa mère.

Au poste frontière, la présentation du faux passeport ne suscite aucune méfiance. Les trois exultent. Ils doivent marcher longtemps avant d'atteindre Peshawar, la fatigue les rend muets, la sueur leur colle les cheveux sur les tempes, les muscles de leurs jambes se contractent de douleur, mais leur contentement est tel qu'ils supportent sans broncher ces petites misères.

Parvenus à la gare de Peshawar, le Français les quitte un instant pour aller, dit-il, aux toilettes.

Au bout d'une demi-heure, il n'est pas revenu.

BW et Ernie s'inquiètent, d'autant qu'ils ont vu un attroupement de badauds se former devant le commissariat qui jouxte la gare.

Ils entrent au commissariat.

Ils s'enquièrent de la disparition de leur ami.

Un flic au visage luisant que BW n'oubliera jamais tient un passeport dans sa main avec lequel il tapote son bureau.

Monsieur est votre ami? demande-t-il en anglais.

Oui, disent les deux, saisis d'angoisse.

Je répète ma question : Monsieur est votre ami?

Oui, oui, répètent les deux, et leur angoisse croît.

Je reverrai cette scène aussi longtemps que je vivrai, dit BW.

Je crois que vous n'avez pas bien compris ma question, fait le flic en sortant d'un tiroir une boule d'opium : Monsieur est vraiment votre ami ? Réfléchissez bien avant de répondre : Monsieur est vraiment votre ami ?

BW a longtemps tu cet épisode de sa vie où il s'est senti coupable d'avoir abandonné un jeune homme paumé aux mains de flics pakistanais.

Il en parlera dix ans plus tard à son amie Brigitte. Chagrin intact.

Il porte encore, comme une faute, ce souvenir d'un abandon.

Il n'a su s'en défaire.

Il dit que son caveau, pardon que son cerveau est surchargé, plein à craquer, de souvenirs coupables dont il n'a su se défaire. Sa coulpe est pleine, dit-il. Et ses remords sont toujours là, à s'agiter dans sa cafetière. C'est tuant.

BW et l'abandon.

BW si malheureux d'abandonner ou d'être abandonné qu'il devance tous les abandons supposables par des abandons sans appel.

BW qui abandonne ses maîtresses avant que ses maîtresses ne le jettent.

BW qui abandonne l'édition, déraisonnablement aimée, avant que l'édition ne le quitte. Avant qu'elle ne prenne l'eau de toutes parts. Avant que ses adjoints (il ne sait plus comment les désigner), avant que ses adjoints ne s'assoient à sa place. Avant que la pression financière ne tourne à l'empêchement. Et avant qu'il ne s'en accommode. Mais ça, jamais, mes enfants! Jamais! Jamais! Jamais! Dussé-je vivre sans un flèche!

Je me demande où va le marché de l'édition, maugrée BW dans un accès soudain de mauvaise humeur. Mais que faire, nom de Dieu, pour que la littérature sauve ses billes? Que faire pour ébranler le mur devant quoi elle s'échoue?

Puis: Je quitte l'édition par fidélité à l'édition (sourire désenchanté). Par fidélité aux principes, à l'idéal, à la grandeur, j'ai bien dit la grandeur, par fidélité à ma vision du vieux métier de l'édition. Tu comprends?
Je comprends.

Puis: Jouer dans l'édition les trouble-fête ne servirait à rien qu'à concentrer les fureurs sur ma pomme ou la tienne. Quant à l'attaquer de front dans ce qu'elle est en train de devenir, ce serait un combat donquichottesque et, d'avance, perdu. Quoique l'idée parfois me traverse, immodeste en diable, de lancer à moi seul un défi à l'édition, à la machine de l'édition, aux éditeurs, aux attachés, aux représentants, aux PDG, à toute la machine de l'édition, à toute la hiérarchie de l'édition, à tout le petit peuple de l'édition, et aux journalistes, et aux financiers et à l'humanité tout entière, tant qu'à faire (rires). Je rumine des plans de régénération éditoriale. J'élève des barricades (mentales) contre les grands groupes annexionnistes. Je pars à l'assaut (dans mon lit) car les moulins à vent sont faux et je vais le prouver. J'écris le premier mot de mon Épître aux Éditeurs : Assez ! Je détourne à moi seul le fleuve éditorial, par ici. Je crée une nouvelle Maison qui résistera à toutes les puissances coalisées de la planète (j'ai dans mon jeu quelques atouts). Je décrète en même temps l'amour libre, l'échangisme confessionnel et la justice pour tous. Combien de gouttes de Haldol dois-je verser, docteur, dans mon café au lait ?

Puis : Comme je ne suis pas tout à fait timbré, ma chérie, ou pas tout à fait mégalo, ou pas tout à fait kamikaze, je choisis, *rendu au sol avec un devoir à chercher et la réalité rugueuse à étreindre*, je choisis de mettre, entre l'édition et moi, une distance polie. Je m'esquive, hop, je me désaxe, comme on le fait en boxe. Du jeu, je me retire. C'est ma manière. On m'a assez tué, dit BW mimant, bras écartés, jambes ployées, je ne sais quelle image de la mort.

BW qui part de l'édition parce que l'édition d'une certaine façon l'a empêché de poursuivre,

l'a empêché de poursuivre tout en affirmant le contraire,

l'a poussé au départ tout en lui disant reviens,

casse-toi et reviens,

fous le camp on t'attend.

Mais ne t'inquiète pas, dit BW. En bon professionnel du livre, je sais tourner les pages, tu ne ris pas ? Et je pars sans souffrir, puisque mon cœur n'y est plus, ni mes yeux, ni ma tête.

Est-ce vrai ?

Presque vrai, dit BW. Je me dis, de plus en plus, que mon passage dans l'édition ne constitue qu'un des chapitres de ma vie, et que d'autres me restent à écrire, plus doux j'espère.

Et si tu revenais sur ta décision comme souvent j'en fais le vœu ? Si tu faisais ton come-back ?

J'aurais l'air d'un con. D'un con amoureux. Le paquet de bonbons à la main. L'air penaud. Tout frémissant. Bouleversé. Et prêt à me faire larguer une fois de plus. Il rit.

Puis : Longtemps j'ai refusé de lâcher prise. J'ai été, tu le sais, obstiné. Je me suis appliqué à ce métier d'éditeur de toute mon âme. J'y ai passé mes jours et mes nuits. J'ai travaillé d'arrache-pied, et souvent la colère au ventre. J'ai rencontré une flopée de journalistes dont bien peu avaient lu Lezama Lima ou Gadda, mes admirés, mais je faisais mon âne, et quelquefois ça m'amusait. J'ai écrit des centaines de lettres aux libraires pour les amener à défendre ce que la littérature avait de meilleur. (BW s'échauffe en parlant.) Je me suis crevé le cul, j'ai encaissé des coups, j'ai supporté des tiraillements et des contradictions, j'ai fermé ma gueule devant des chicanes absurdes, j'ai essayé de concilier l'inconciliable, je veux dire ma passion pour les livres et les contraintes économiques auxquelles je devais me plier. J'ai essayé, follement persuadé que la beauté de certains textes aurait, au final, raison de tout le reste. Une forme de candeur, qu'on pourrait très bien appeler connerie, m'a amené à croire que je trouverais au sein du système des failles où me glisser. Idiot que j'étais. Je me suis obstiné contre toute logique. Et pour rien.

*Si vous saviez que de feu j'ai brûlé
que de vie j'ai gaspillé pour rien.*

Tu vas m'objecter, dit BW qu'on ne peut plus arrêter, tu vas m'objecter que certains écrivains publiés par mes soins ont obtenu quelque succès. Petites victoires avant la déroute à venir, dit BW, décidément fort pessimiste ce matin. Mais ceux que le public s'entête à ignorer? Mais les cinglés, mais les rétifs, mais ceux qui vont trop loin, ou à rebrousse-poil, ou contre, ou qui se montrent insoucieux par orgueil ou révolte (deux traits qui souvent, paraît-il, se combinent), qui se montrent insoucieux de l'opinion commune et de l'esprit du temps?
Je sais déjà ce que tu vas me rétorquer. Qu'il n'y a que deux ou trois génies par siècle, et que cela suffit. Je suis loin d'en disconvenir. Mais il y faut une condition : c'est que le système en place permette de découvrir ces deux ou trois génies au milieu du fatras général. Or le travail de découvreur est un travail coûteux. Lent et coûteux.

Trop lent et trop coûteux, sans doute, aux yeux de nos comptables. Et il se trouve que c'est le mien. (Pensivement.) Que ce fut le mien.

Mais si je te racontais plutôt mon passage éclair à Katmandou dont j'ai oublié de te parler?

À Lucknow, grand nœud ferroviaire de l'Inde du Nord, BW arrête un camion et parlemente par gestes avec le chauffeur népalais. Affaire conclue par gestes. Le langage des gestes en voyage est primordial, bien qu'assez limité, il faut le reconnaître. Car comment exprimer par gestes que l'on doute du perfectionnement infini vers le Bien de l'âme des humains, ou que l'on réfléchit sans relâche sur les principes essentiels de l'intentionnalité de la conscience dans l'œuvre de Jean-Paul Sartre? BW monte à l'arrière du camion, marque Tata (tous les camions s'appellent Tata, dit-il, et je ris bêtement), et s'installe au milieu des fûts.
Le paysage est sublime, tout en pics, en crevasses, en gouffres et en convulsions. BW est un exagéré avide d'endroits exagérés. Les escarpes abruptes, les sols bouleversés, les torrents furieux, les déserts arides, les eaux grondantes, les forêts noires, voilà les lieux parfaitement inamicaux où BW déclare se sentir bien. Ne lui parlez pas de l'onctueuse Loire, ni des pacifiques berges de la Marne, encore moins des champs de betteraves picards. Il les vomit.

Le paysage est donc sublime, mais n'inspire point à BW les sentiments poético-lyriques y afférents, car la route est si cahoteuse, les ornières si profondes, le sol si inégal, que lui et la cargaison brinquebalent en tous sens. Allez dire des vers quand vous êtes secoué comme une pauvre branche !

Le camion grimpe lentement, et BW est ballotté à rendre l'âme. La route est si étroite que le croisement d'un autre véhicule oblige le chauffeur à rouler tout au bord de l'abîme ou à quelques centimètres de la paroi rocheuse. Certains virages en épingle à cheveux nécessitent plusieurs manœuvres, et BW, chaque fois, s'imagine qu'il va être précipité au fond d'un gouffre, qui saura que je meurs jeté à 2 000 m de profondeur dans un ravin de la montagne himalayenne !

Un cahot plus violent que les autres, et BW voit ses lunettes valser sur le sol. La tuile ! L'angoisse au cœur, BW saute de la plateforme du camion et parvient à retrouver en tâtonnant ses lunettes dont l'un des verres, dans la chute, s'est fêlé. Il le gardera fêlé jusqu'à la fin du voyage, détail extrêmement dissuasif pour draguer des filles, précise-t-il. Déjà que.

Tandis qu'il cherchait ses lunettes, le camion a continué de grimper, et BW doit courir pour arriver à sa hauteur. Mais à 3 500 m d'altitude, monter une côte est un calvaire. L'air manque affreusement et le moindre essoufflement est ressenti comme asphyxiant. BW, hors d'haleine, la respiration sifflante, les poumons en feu, parvient il ne sait comment à rattraper le camion, lequel mettra 24 heures pour parcourir les 200 km restants. La descente vers Katmandou est aussi éprouvante que la montée des cols.

Le bonheur commence, dit BW, au débouché des derniers contreforts, dans la vallée tout enveloppée de brume, lorsque le paysage se calme, lorsqu'il se repose, lorsqu'il redevient, en somme, paysage, avec ses rizières en terrasses, ses troupeaux de buffles pacifiques et, sur les bords de la route, les premiers singes joueurs.

Mais c'est en totale contradiction avec ce que tu me disais tout à l'heure de ton goût pour les endroits échevelés ! dis-je

C'est incontestable, reconnaît BW.

Mais comment s'y retrouver ? dis-je.

Quel est ce y de s'y ? dit BW.

Comment ? dis-je.

Quel est ce y de s'y ? dit BW.

Impossible de parler avec toi ! dis-je.

Voilà les femmes ! dit BW, badin,

qui vient, donc, d'arriver à Katmandou, la mythique, la sacrée, la rebelle, la si-désirée, la si-lointaine, la chimérique.

Mais dès qu'il a posé un pied dans la ville, BW éprouve une déconvenue aussi violente que le désir qui l'y a conduit.

Katmandou c'est donc ça ! Ce n'est donc que ça !

Chute brutale de l'imaginaire dans le réel. Le voyage est fait de ces chutes. Apprentissage du dépit. Initiation formidable au travail ultérieur d'édition.

Katmandou est une ville laide, dit BW.

Non seulement les boutiques pour touristes n'exhibent que de pauvres trésors (éléphants en plâtre, cailloux montés en bracelet, faux moulins à prières, svastikas miniatures, bouddhas boudeurs assis sous un figuier pippal en matière plastique...), mais les rues sont envahies de camés venus pour la plupart d'Europe, lesquels ne parlent que de la poudre qui supplée à tout, du prix de la poudre qui supplée à tout, de la qualité de la poudre qui supplée à tout, des effets de la poudre qui supplée à tout et des dealers de poudre dont ils échangent les noms et les adresses avec des airs de conspirateurs bolcheviks.

BW retrouve ici, en concentré, ce qu'il a fui là-bas : un Occident malade de son âme, en quête de dérivatifs de toutes sortes et allant au suicide sans s'en apercevoir, je résume, dit BW non sans ironie, puisqu'il est entendu que l'Occident rassemble évidemment toutes les malfaisances de la terre, la pire étant de vouloir étendre au monde entier le fameux droit des hommes à s'entre-dévorer.

À Katmandou, BW est sur ses gardes. La ville, pour lui, il le pressent, est toxique. Aguicheuse comme une putain, et toxique. Et BW, qui s'est toujours gardé de toucher à la poudre, se l'interdit à présent avec une vigueur redoublée, et ce d'autant que les sollicitations sont pour ainsi dire incessantes. Et s'il se l'interdit avec cette vigueur, c'est qu'il prête au produit des pouvoirs endormissants, amollissants, affaiblissants, avachissants, asservissants, en un mot : maternels. Or BW se défie des pouvoirs maternels qui font d'un homme, disons normal, une chiffe. Sa came à lui c'est la littérature, laquelle possède, affirme-t-il, des vertus exactement contraires.

Lesquelles ?

Cruelle, violente, voluptueuse, vivifiante, raffinée, grinçante, ravageuse, légère, radieuse, délicate, ironique, la littérature nous secoue, elle nous fait mal, elle nous brûle, elle nous caresse, nous revigore, nous désespère, elle nous élève, dit BW hésitant, mais est-ce bien le mot ? en tout cas, elle nous rend à nos forces, à nos foudres, à nos failles, elle nous renvoie à nos dilemmes, à nos impasses, à nos enfers, et dans le même temps nous en arrache et nous emporte bien au-dessus de nous.

La came de BW, sa passion, sa faiblesse, sa meuf, c'est, on l'a compris, la littérature. Tout le reste est second, dit-il, j'exagère à peine. Mais il est préférable, ici, de n'en rien dire, dit-il. Car la littérature, ici, n'intéresse personne. Ici comme ailleurs, corrige-t-il, un rien désabusé. Mais il me semble que nous nous écartons du sujet.

Pas du tout, dis-je. Nous y sommes en plein.

*Le sprinter belge Gert Steegmans est un garçon bizarre :
il lit.*
Phrase entendue à la télé lors de la retransmission du
Tour de France 2008.

BW le répète : il ne souhaite aucune autre came
que la littérature. Et lorsque le plus gros dealer de
Katmandou, un Américain prénommé Bill qui ressemble à s'y méprendre à Jimi Hendrix, lorsque ce
fumier lui tend la bague énorme qu'il porte à son
index et en soulève le chaton pour lui offrir un peu
de l'héroïne qu'elle contient, BW répond poliment
No thank you, puis se dit en lui-même qu'il va
abréger son séjour dans la ville et décamper vite
fait.
BW est infiniment déçu.
Voyager c'est apprendre la déception, dit-il, tous les
voyageurs te le diront. Comme philosopher. C'est pas
moi qui le dis, c'est Deleuze.
Déçu et colère.
Il rassemble ses forces. Il le faut absolument. Car il faut
des forces, il faut des forces immenses pour s'élancer,
contrairement à ce que postulent les assis qui assimilent
la fuite à je ne sais quelle veulerie de l'âme. Il faut une
sacrée volonté pour démarrer, et un sacré élan, si tu
savais ! Il faut se faire violence, il faut se faire une sacrée
violence, il faut, pour s'arracher, mobiliser une énergie
dont tu n'as pas idée.

BW s'en va. C'est-à-dire qu'il quitte un exil pour un autre. Qu'il espère meilleur. Mais où nul ne l'attend.

Kali, la déesse de la mort aux yeux écarquillés et au visage noir, le regarde partir.

Mais les vrais voyageurs sont ceux-là seuls qui partent
Pour partir

Il marche en direction du nord, au jugé, à pied, on verra bien où ça mène. Au jugé, mais d'un pas ferme.

Car marcher, il sait faire.

Il a appris à marcher en montagne dans le Massif central de sa jeunesse. Tête droite, foulée lente, bras balancés, le tout en rythme, dit BW. Marcher, respirer, lire, écrire, éditer, baiser, se battre, se foutre en rogne, tout est une question de rythme, dit BW.

J'oubliais : mourir.

Autour de lui, des montagnes comme il n'en a jamais vu.

Devant lui, un pont suspendu au-dessus d'une gorge.

Le pont fait de cordages et de minces troncs d'arbres ne lui inspire qu'une confiance très relative. D'autant qu'il a appris que ces légères passerelles pouvaient pourrir à la fonte des neiges lorsque l'eau atteignait leur milieu, et quelquefois se rompre.

Mais il s'y engage.

BW a du cran. J'en témoigne. Ce n'est pas chose si fréquente. En plus d'une circonstance (dont je parlerai peut-être), je l'ai vu faire preuve d'un courage inouï.

Les meilleurs cœurs, Trim, sont toujours les plus braves.

On ne fait rien sans risque, remarque BW qui a une tendance nette à s'excuser de ses qualités. On ne fait rien, dans l'édition, sans risque, ajoute BW qui en revient toujours à ses amours.

Le pont oscille à chaque pas.

Trop tard pour reculer.

BW se dit Je vais mourir ici et mon corps ne sera jamais retrouvé.

Il se dit Ma vie je l'ai vécue pour finir au fond d'un précipice népalais, c'est bête.

Mais le cœur de BW reste calme.

Le cœur de BW bat, en temps normal, à 46 pulsations par minute. C'est un détail qui compte, dit BW, lorsqu'on est coureur de 800 m et (se rengorgeant) éditeur de littérature.

Le pont traversé, il s'assied, exténué, sur le bord du chemin. L'angoisse a ravivé sa faim. Il sort de son sac du fromage et du pain. Il aperçoit au loin une femme au visage cuivré. La femme s'avance vers lui et, sans le quitter des yeux, porte plusieurs fois la main à sa bouche, signe universel qui veut dire manger. BW lui tend un morceau de fromage et un bout de pain. La femme les saisit, les mange avidement. Puis, en guise de remerciement, se couche sur le dos, relève sa robe turquoise, et écarte ses jambes l'invitant à baiser.

BW, décontenancé, refuse gentiment ses avances lubriques. Gentiment, car il craint de l'offenser.

Le soir, sur son carnet à couverture rouge, il écrira : La voix qui monte de mes abîmes est triste. J'ai le blues.

Il se relève. Il marche durant trois jours. Marcher fatigue sa tristesse. Il écoute *Bald Headed Woman* de Lightnin' Hopkins. Quel sens a le voyage pour celui qui est sans ancre ? Arrivé à Bhadgaon, il est hébergé par une famille sherpa qui l'accueille avec une gentillesse et une simplicité qui le consolent. Autour d'un feu de genévriers, on mange du yak fumé, on boit du thé salé, puis on fait tourner la cruche emplie de cet alcool de riz qu'on appelle le chang.

BW, très vite, est ivre.

Il s'endort, là, brusquement, sans façons, au milieu des enfants. Comme un enfant.

Le lendemain, il continue la route jusqu'à Banepa dans une camionnette des Postes népalaises. On lui a dit que des alpinistes américains s'y sont donné rendez-vous dans l'intention de rejoindre le camp n° 1 du Shishapangma sur la frontière népalo-tibétaine. Arrivé dans la ville, il lui est très facile de reconnaître les quatre Américains. Après s'être acheté un équipement de montagne complet, il leur propose de les accompagner. Il fait valoir ses expériences de grimpeur dans les Alpes (en se gardant bien d'avouer qu'il a fait par imprudence une chute de huit mètres en escaladant seul une paroi verticale dans les Cornettes de Bise). Les Américains disent OK.

Le groupe progresse lentement et fait étape à Barabhise, puis à Kodari.

De là, vingt jours d'ascension par des sentiers abrupts et des moraines qui s'effondrent, puis sur des murs rocheux qui étincellent sous le soleil, puis le long de congères qui aveuglent, qui littéralement aveuglent, puis sur des passerelles qui tremblent au-dessus de l'abîme, puis sur des barres de glace dont le contact brûle la peau aussi violemment qu'une flamme.

Vingt jours d'ascension à pas lents, à pas lourds, chaque pas arraché à une fatigue sans nom.

Vingt jours d'un harassement si douloureux qu'il empêche de parler, d'un harassement qui dépasse la limite de ce qu'on croyait supportable.

Vingt jours d'efforts si violents qu'ils font monter les larmes.

Mais vingt jours inoubliables.

Car ce que BW aime plus que tout au monde c'est marcher à la verticale, c'est être littéralement sur la corde raide, raide et verticale.

Improviser un aplomb dans l'anfractuosité d'une roche et s'assurer en même temps une prise solide, voilà ce qui me plaît, dit-il. Être au bord de chuter et aller vers le haut. Avoir le pied sûr, la main experte, et l'esprit comme aspiré vers le ciel. Porter une attention extrême aux choses de la technique, et, par un simple geste de la nuque, embrasser devant soi l'infini. Être dans cet équilibre inquiet, précaire, entre le consentement le plus attentif à la réalité matérielle et le sentiment exaltant d'atteindre au sublime. BW aime passionnément que ces deux mouvements se conjoignent. BW aime passionnément que l'écriture d'un texte, ensemble, les porte. Car BW est épris de ce qu'en art on appelle, je crois, le baroque. Moi aussi.

BW se souvient d'avoir vu, accroché sur la pente, un gisant, le corps pétrifié par le gel, le visage noir, calciné, presque beau.

Il se souvient des charges colossales qui voûtent le dos des porteurs, lesquels toujours les précèdent. Il se souvient d'avoir pensé qu'aucune bête au monde ne saurait consentir à de pareils fardeaux. Il se souvient de n'avoir pu se défendre d'un remords en voyant leurs silhouettes trapues gravir les parois verticales.

Les hommes franchissent plusieurs cols.

Leurs doigts sont durs comme la pierre.

Leur cœur bat vite.

Ils sentent leur cerveau heurter, lors des mouvements brusques, les os de la boîte crânienne.

Ils pissent sur eux. C'est chaud. C'est bon.

Ils montent jusqu'à 6 200 m.

Ils n'ont qu'une pensée : tenir bon. Aucune autre. Dans les têtes, la blancheur blanchissime a tout nettoyé.

Toutes les pensées : nettoyées.

Mais arrivés à cette altitude, ils suffoquent, incapables d'effectuer un pas de plus.

Leur corps est terrassé, tandis que l'esprit, lui, chavire vers le haut, et décolle.

Ils ont atteint cet état limite, attirant, dangereux, fatal s'il se prolonge, où l'épuisement se renverse en extase, où la marche se mue en ivresse, où l'on se sent plus près du ciel que de la terre.

J'ai touché le ciel

Devant eux commence une zone qui n'est plus du tout faite à la mesure humaine.

Ils s'arrêtent. Bien que follement attirés par la blancheur d'en haut, ils s'arrêtent.

Ils bivouaquent au camp de base.

Ils verront, le lendemain, un soleil rose se lever sur un jour parfait.

BW dit qu'il n'a rien vu d'aussi beau.

De sa vie, il n'a rien vu d'aussi beau.

D'aussi souverainement calme.

Puis, au moment même où je m'intime d'éviter tout amphigouri pour retranscrire ses paroles (ce que BW appelle «les ampoules»), au moment où je me répète qu'il ne faudra pas tomber dans la symbolique rebattue des cimes, avalanches, blancheurs immaculées et tout le tralala autonettoyant et ultrapoétique, au moment même, disais-je, où je m'ordonne de ne pas céder à la comparaison facile entre la grandeur sublimissime du lieu et la ridiculissime petitesse de l'homme, au moment même où je me demande s'il est possible de parler de l'Himalaya avec retenue et simplicité comme on le ferait par exemple des collines tarnaises, BW s'écrie avec l'accent du play-boy marseillais bodybuildé de *L'Île de la Tentation* : C'était magique !

Nous éclatons de rire.

Un site enchanteur, fait-il, avec le même accent.

Nous rions de plus belle.

Un site, comment dire, féerique quoi, ensorceleur.

D'une poésiiie ! (avec trois i).

Nouvelle crise d'hilarité.

Mon Dieu mon Dieu (même accent) que le monde sans les hommes serait beau !

Sans rigoler, reprend BW, après que nous nous sommes calmés, le héros qui te parle est allé dans des endroits qui étaient, qui étaient...

BW et son goût des choses verticales, des himalayas, son goût de l'impossible.

BW qui s'est confronté au Shishapangma, pour de vrai, je veux dire autrement qu'en mots, trop facile. BW qui a vu des paysages que peu d'hommes ont pu voir. Respiré un air que peu ont respiré. Et qui a le sentiment, quelquefois mêlé d'inquiétude, que ces expériences l'ont rendu à jamais différent de ses confrères, et qu'il foule les champs de la littérature en godasses de montagne parmi des gens chaussés de mocassins à glands.

T'en connais beaucoup des éditeurs qui ont regardé le monde d'aussi loin, d'aussi haut ? s'exclame BW triomphant. Qui ont accompli des efforts aussi dingues pour jouir d'une seule heure de pure beauté? Cela servirait pourtant à juger de leur courage.

Après quoi, BW frappe ses pectoraux et entonne à tue-tête l'hymne russe.

Et si on parlait, propose BW, de mon expérience d'alpiniste dans l'édition?

BW ambitionne, depuis longtemps et en secret, de créer sa maison d'édition. C'est son rêve. Et tout son être est tendu vers ce rêve.

Il s'est déjà frotté au travail d'éditeur chez Denoël à partir de 1984 et une seule fois au travail de nègre. Il a en effet écrit aux trois quarts un roman signé par une personnalité médiatique, laquelle se prenant à son propre mensonge finira par se croire l'écrivain véritable et adoptera, dès lors, les mimiques supposées être celles de l'écrivain-appelé-irrésistiblement-par-sa-vocation: parole télévisuelle du genre authentique, colères démagogiques et succédanés, indignations humanistes en veux-tu en voilà et autres slogans mercantiles fort prisés par nos populations et que BW écoutera avec un sourire mauvais, rare sur sa figure.

BW, disais-je, rêve de créer sa maison d'édition. Ce rêve a attendu en lui, pendant près de vingt ans, le jour propice. Il devient réalité en 1996. Et tout se passe avec une facilité qui, des années après, l'émerveille encore. Je me suis attendu vingt ans, dit BW. Et on me dit impatient! C'est injuste!

En janvier de la même année, il a rencontré un éditeur suisse spécialisé dans les ouvrages d'érudition qui s'est dit prêt à lui céder un local dans Paris et à prendre en charge l'impression et la diffusion de ses livres.

Le 1er septembre 1996, donc, BW, avec une audace inconsciente qui aujourd'hui le fait rire, cloue sur la porte du 20 rue Visconti, Paris VIe, l'écriteau Éditions Verticales dont le nom lui est venu en lisant les poèmes de Roberto Juarroz.

Il n'a jamais voulu que cela.

Il exulte.

Il a, dit-il, la niaque.

À l'époque, il est seul. Si seul dans son bureau qu'il se parle à voix haute afin d'y créer un peu d'animation.

Pas de secrétaire, pas d'attachée de presse, pas d'assistant, pas d'argent (ou presque) pour signer des contrats, pas de mentor ni rien d'approchant, et seul, en dehors de toi, à croire que l'aventure est possible.

Tu dis que le pari était risqué?

Mais beaucoup moins, remettons les choses à leur place, beaucoup moins que la traversée au Népal d'une passerelle branlante qui peut, à tout moment, se rompre. Mais beaucoup moins, complète BW, l'œil rieur, beaucoup moins que de vivre avec une femme. Il faut savoir tout de même hiérarchiser les risques!

BW, disais-je, est seul et sans moyens. Aussi démuni qu'à son départ pour l'Inde. Mais fermement décidé à jouer l'éditeur, et entêté dans son projet comme dix taureaux andalous. Il défendra son espace à coups de livres, à coups d'audaces et, s'il le faut, à coups de poing (BW a fait de la boxe). Puis, en guise de récompense, il baisera avec toutes les meufs qui chercheront à se faire publier. Malin, non?

En 1999, BW engage dans sa maison d'édition Verticales un jeune homme qui a du talent et de l'habileté à revendre.

BW se dit qu'il va le former au travail d'éditeur et lui accorder une confiance qui désarmera par avance toute *invidia* susceptible de naître. Il sera son assistant. Il l'épaulera. Et plus tard, bien plus tard, il le continuera.

BW ne songe pas, alors, et c'est son tort, que la position de second est une position intenable, amputée d'avenir, frustrante au possible, et qu'elle peut, si elle se prolonge indûment, conduire à une dépendance odieuse ou à une franche rébellion, quelquefois même se corrompre en une haine sourde qui met à profit, pour prospérer, les moindres manquements du chef.

Neuf ans après, ces pensées qu'il avait tenues écartées occupent son esprit.

Que s'est-il donc passé?

Rien que de très banal, dit BW. Rien que de très ordinaire : deux hommes, deux amis, et un seul fauteuil. C'est une histoire vieille comme le monde

Mais en tant que directeur de Verticales tu aurais pu.

Un directeur digne de ce nom, coupe BW soudain devenu grave, un directeur digne de ce nom ne devrait nullement craindre que la liberté qu'il accorde aux autres devienne une menace pour sa propre liberté. C'est en tout cas ma conception de la démocratie, dit BW, ma conception aristocratique de la démocratie, précise-t-il. J'estime en effet, et pour paradoxal que cela semble, j'estime que la démocratie ne fonctionne correctement qu'entre esprits aristocratiques. Le problème est qu'elle est le plus souvent dans les mains des vulgaires. Qui la dévoient.

À qui penses-tu ?

Un directeur digne de ce nom, poursuit BW – quand tu bouges ton pied comme ça tu me rappelles mon prof de maths de quatrième, on l'appelait Einstein –, un directeur digne de ce nom ne peut que regarder avec mépris les intrigues, disputailleries et machinations qui font, d'ordinaire, s'entre-déchirer les chefaillons. Et tant pis si les esprits vils et les cœurs indélicats se méprennent et ne voient dans ce mépris que faiblesse !

Un directeur digne de ce nom, continue BW de plus en plus grave, ne peut s'abaisser à fliquer les personnes dont il s'entoure. Laissons cela aux adjudants. Vous voulez un maître, vous ne l'aurez pas ! s'écrie-t-il en parodiant la phrase que Lacan lança aux gauchistes de 68.

Tu m'as fait peur, dis-je.

Par-dessus le marché, déclare BW, j'ai horreur, horreur, horreur, de donner des ordres. De ma vie, je n'en ai donné. Même à la chatte Camille. Sinon pour rire. Commander, obéir, c'est tout un, disait Sartre. Et j'ai une sainte horreur d'obéir.

Mon erreur, ajoute BW, est de ne pas avoir assez considéré que, pour que se fasse cet équilibre des libertés qui me semble précieux, le pouvoir devait arrêter le pouvoir, comme l'exhortait Montesquieu. C'est à ce devoir que j'ai manqué. Par faiblesse, car je suis faible à ceux que j'aime. Par mégarde. Par orgueil. Ou par je ne sais quoi.

Et je me le reproche.

Un temps de silence.

Car le pouvoir d'un éditeur qui est de faire accéder un auteur à une existence publique connue et reconnue, ce pouvoir-là, tu le mesures, est inouï.

Un temps de silence.

Donc convoité.

Un temps de silence.

Donc très convoité.

Un temps de silence.

Donc très très très convoité.

J'ai toujours su, du reste, sans vouloir le savoir, que le moment viendrait où ma présence dans la maison d'édition que j'ai créée deviendrait encombrante. Cela est, semble-t-il, dans l'ordre. Les fils secondent les pères. Et les sous-chefs les chefs. Puis les supplantent.

Ce désir de me supplanter, je crois en voir les prémices dans le courant de l'année 2007. En mars de cette année-là, je m'absente huit jours pendant lesquels sont prises des prérogatives qui normalement me reviennent. Je n'ai pas vu venir le coup. Mais je la boucle. Je me dis Passe au-dessus. Je me dis Ne t'abaisse pas à des reproches. De plus je suis fatigué. Le voyage que je viens d'accomplir au Liban pour des raisons professionnelles m'a laissé, comme toujours, meurtri et fatigué.

Deux mois après, je dois m'absenter encore, et plus longuement cette fois en raison de mes problèmes oculaires.

Je m'avise à nouveau qu'on décide en mon nom et sans que j'en sois, le moins du monde, prévenu.

Je trouve inélégante une telle hâte à me déclarer mort.

J'en suis blessé.

J'exige des explications.

C'est très laid, dis-je. Et je m'énerve.

Alors on se récrie. On proteste. On me dit que je déraisonne. On me jure fidélité, fraternité et dévouement sans bornes. On m'aime. On m'applaudit. On m'assure d'une amitié absolument indéfectible. On en répand partout le bruit avec une conviction qui convainc.

Si bien que je suis pris de doutes. N'ai-je pas imaginé ce que tout bonnement j'appréhendais de découvrir? Je me calme.

Je révoque mes mauvaises pensées.

Mais on continue d'occuper mon fauteuil tout en

protestant du contraire, on m'affirme une loyauté que les faits contredisent, on tranche à mon insu sur des choix d'édition, on

On dirait du Shakespeare, dis-je.

On dirait une mauvaise comédie, corrige BW, où les acteurs jouent mal. Et moi le tout premier.

Je me promets alors de quitter le navire.

Fuir.

Jeter hors de ma vie cette fin lamentable et banale à pleurer, cette fin que nous n'avons pas su faire autre.

Fuir. Vite. Avant que je n'en conçoive une peine infinie.

Avant d'avoir le cœur amer.

Je me suis enfui. Ô sorcières, ô misère, ô haine, c'est à vous que mon trésor a été confié!

Crois-tu que je sois injuste?

Aveuglé?

Ou trop intransigeant?

Mon désir de divorcer de l'édition est-il tel que je m'invente des raisons de la fuir?

Je ne sais pas, dit BW.

Ce que je sais, ajoute-t-il, c'est que les causes qui conspirent à mon départ sont complexes autant que nombreuses.

Quelles sont-elles?

Je les démêle mal. S'enchevêtrent et convergent, je te les

dis en vrac : ma répugnance à jouer au marchand, mon absence totale de talent diplomatique, ma réticence à faire le moindre geste pour m'acquérir sinon les protections, du moins les sympathies de la presse, un orgueil mal placé, une part probable de masochisme et le goût dandy de la perdition, mon intolérance déclarée à la veulerie de certains et aux éloges qui sentent la combine, mon incapacité à mener des intrigues quoique j'en sache l'utilité, le constat écœuré que la plupart des hommes sont capables de tout pour réussir, on va me prendre pour un pur, dit BW, quelle horreur ! on va croire que je cultive les impossibilités que j'évoque, que je m'en infatue. Mais ce n'est pas du tout ça ! Pas du tout !

Je voudrais bien être gentil, moi. Je voudrais bien être conciliant *et faux à faire vomir*. Je voudrais bien être comme X ou Y tout en égards calculés. Je voudrais bien prouver que je suis moi aussi capable d'entuber les autres en sorte d'être admiré et sexuellement désirable. Mais voilà, je ne peux pas. Je suis ainsi foutu que mon sang et ma chair se rebiffent. Je leur dis assez ! Je leur dis couché ! Rien à faire ! Mon sang et ma chair se rebiffent de telle sorte, devant les situations qu'intérieurement je réprouve, que je me cabre, me rembrunis ou farouchement me rencogne jusqu'à me rendre parfaitement antipathique et, quelquefois, je l'avoue, parfaitement odieux.

Mais je mens, ma chérie, lorsque je dis que je voudrais être faux à faire vomir. Je mens évidemment. Car j'aime la *virtus* au sens où les Romains l'entendaient : la force d'âme, le courage de l'esprit, la détermination dans le bien, voilà des choses qui m'électrisent lorsque je suis en proie à la désillusion, c'est-à-dire souvent. Et tant pis si le mot *virtus*, aujourd'hui, fait sourire ou hausser les épaules ! Tant pis s'il est associé à une forme de raideur morale ! À moi, il me plaît, tout raide qu'il est. Il me fait penser à ta mère.

À ma mère ?

J'aime la *virtus*, tu peux l'écrire. Mais la violence de mon tempérament m'en tient trop souvent éloigné. Je le regrette.

J'ai, comme on dit, mauvaise tronche. Je suis têtu. Têtu et rancunier. Je ne sais pas accorder mon pardon. Je m'emporte. Je rédige, au moindre accroc, des lettres d'injures que tu mets au panier. Je ne tolère pas qu'on me conteste : j'ai trop de doutes en moi pour supporter ceux que j'inspire aux autres. J'aime ferrailler pour ferrailler. Il m'arrive même d'inventer des motifs de querelles. J'ai des accès de méfiance envers les gens que j'aime. Je me défie des gentillesses et des éloges, tout en désirant secrètement les entendre. Je suis méchant par désespoir. Je quitte par désespoir. Je punis par désespoir. Je suis injuste par désespoir. Je ne souffre pas que certains des écrivains que j'édite ne m'expriment nulle gratitude, mais je supporte moins encore qu'ils deviennent mes obligés et me traitent comme un monarque dont il faut à tout prix ménager les humeurs.

Le tout aggravé, fortement aggravé, poursuit BW, par mes accès mélancoliques, extrêmement rébarbatifs pour ceux qui n'ont avec moi qu'un rapport de surface, et affreusement pénibles, j'en suis persuadé, pour mes proches. Tu ne dis rien ?

BW a conscience que sa présence au jour le jour, auprès de ses collaborateurs, n'est pas toujours, pour ces derniers, chose commode. Qu'elle est même, parfois, franchement sinistre. Car les intrigues et les lâchetés qui sont le lot ordinaire du petit monde éditorial l'affectent démesurément. Il le sait. Il le déplore. Il se voudrait étanche. Mais il ne possède aucune immunité pour se défendre.

Car voilà, BW a fait de la boxe, mais il est incapable de parer aux petits coups traîtreusement décochés, hors du ring, par de petites frappes. Il dit, mais personne n'y croit excepté moi, il dit que c'est par crainte de les écrabouiller comme des vers de terre et salir le parquet de leurs sanies.

Car voilà, BW peut s'engager sur une passerelle branlante au-dessus d'un gouffre népalais, tandis que les trois mots injustes d'un médiocre, la volte-face d'un lâche, la morgue d'un idiot, un jugement méchant, un commérage, une indélicatesse, une sournoiserie, une imputation calomnieuse, le laissent anéanti.

Là est sa faiblesse.

Pour que vous compreniez : BW glisse des coquelicots entre les pages de ses livres. C'est tout dire.

Si je pouvais avoir la carapace du homard! s'exclame-
t-il.

BW est grand pour les grandes choses mais fort démuni
pour les petites, qui sont cependant celles qui composent notre vie de tous les jours. D'où le merdier.

BW a, de surcroît, des accès de désespoir qui sont sans
lien aucun avec la cochonnerie éditoriale. Chaque fois
que les souvenirs du Liban se rallument, que le couteau
retourne dans la plaie (à l'occasion d'un documentaire
sur une guerre, d'un fait divers particulièrement atroce,
ou après un séjour à Beyrouth), le chagrin se présente.
Et il s'y engouffre. Comme appelé. Comme impérieu-
sement appelé.

Alors il se met à douter de lui, à se dénier tout mérite,
à s'insulter, à dénombrer ses torts, à croire qu'il est insi-
gnifiant, qu'il est mauvais, qu'il est illégitime, qu'il n'est
autorisé à rien, que son âme est nauséabonde, qu'il est
sans ressource pour vivre, et que d'ailleurs
il est mort.

Et plutôt que d'incriminer un adversaire, réel ou non,
comme il est d'usage, il s'accuse lui-même. Il est son
ennemi. Il s'attaque. Il se jette des pierres. Violemment.
Il dit Ma nullité me saute aux yeux, je suis lucide. Car,
à ces moments-là, il confond, comme il est d'usage,
désespoir et lucidité,

Il dit Je n'ai pas plus de consistance qu'il y a cinquante ans, c'est flagrant, je suis rien, nada. Comment peux-tu aimer quelqu'un qui est nada ?

Il dit L'avenir je l'étrangle, c'est réglé.

Il dit Tu me regardes mal.

Il dit Je suis d'une laideur !

Des forces malveillantes le poussent vers son gouffre. Il y chavire. Et ses murs de défense s'effondrent. Alors il ne fait plus de différence entre ce qui est de médiocre importance et ce qui ne l'est pas. Il s'arrête à des riens, à des bénignités, des remarques anodines. Et tout lui est offense. Et tout le supplicie.

Il roule des pensées de mort. Il dit La mort me fait horreur. Il dit Je ne me consolerai jamais de ce que nous allions vers la mort. Mais la mort, en même temps, l'attire. Il caresse l'idée d'un suicide par absorption d'alcool, bourbon de préférence. Il dit La vie m'est horrible. Personne ne peut soupçonner à quel point la vie m'est horrible.

Il profère des choses effroyables sur lui-même et ses proches pour mieux se détester et mieux se faire détester. Il ne voudrait pas les proférer, cependant il le fait. Et à mesure qu'elles sortent de ses lèvres, il supplie qu'elles y rentrent, à tout jamais.

BW n'est qu'agonie.

Il s'y abandonne, comme on se noie.

S'y complaît-il ?

Peut-être. Peut-être éprouve-t-il, à ces moments-là, une sorte de plaisir tragique, théâtral, à démasquer le néant, la

vanité de sa vie, de toute vie. Qu'ai-je réalisé? se demande-t-il cent fois par jour. Quelles traces laisserai-je?
Attend-il des autres un secours?
Il n'a pas cette charité.
Permet-il seulement qu'on l'approche?
Surtout pas. Prière de ne pas entrer dans ma mélancolie privée, please! De plus, le spectacle du déprimé est l'un des plus obscènes. Berk! Il faut à tout prix dissimuler sa laideur.
Et ses amis?
BW déteste qu'ils s'inquiètent pour lui. Il voudrait que cessent les gestes intrusifs de leur bonté. Il les repousse méchamment. Pas de ça! Il ferme sa porte à clé, qu'on ne m'emmerde plus! La sollicitude lui fait horreur, qui affaiblit, dit-il, au lieu de renforcer. Son chagrin est monstrueux, dit-il, et sa monstruosité, criminelle. Il ne souhaite pas de complice à son crime. Et il en veut à ses proches d'en être les témoins, tout en comprenant combien, pour ces derniers, la vision qu'il offre de lui-même doit être pénible et perturbante.

Dejarme solo

Certains d'ailleurs s'offusquent de la violence d'un chagrin qui ne vêt pas, pour s'exprimer, les formes convenues et que rien, dans la réalité, ne fonde.
Car le chagrin de BW est démesuré, outrancier, énorme, incompréhensible.
Un chagrin andalou. Ou slave. Ou libanais. Enfin, d'ailleurs.

Abrupt. Méchant. Buté. Dévastateur (une guerre furieuse en ses propres frontières).

Sans aucune de ces grâces parisiennes qui font dire aux jeunes gens modernes : Je suis flippé.

Totalement disproportionné. Fantastique. Contraire à tous les canons de la psychiatrie et de la bienséance.

Témoignant d'un acharnement qui emporte l'admiration de quelques-uns, et l'effarement de presque tous.

Plus pondéré, plus français, il serait moins effrayant, mieux admis, plus convenable. Mais rien à faire! Sa mélancolie est hors mesure.

À Guy, son ami de toujours qui cherche à le comprendre, BW au téléphone hurle : Tu as déjà vu, toi, un homme à qui l'on tranchait la langue ?

Ces accès périodiques que BW décrit comme atroces ont été réactivés, c'est certain, par les années Liban. Mais BW sait bien (on peut même affirmer qu'il ne sait que trop bien) que ces désespoirs où il tombe sont aussi anciens que lui-même. La preuve, dit-il : J'ai fait une tentative de suicide à un an. Comment ? En jouant avec un ciseau. Blessure à l'œil gauche. Tu vois cette taie claire qui barre mon iris ? Tu la vois ? C'est la preuve.

La chose est mal connue des pédiatres, argumente BW, mais les suicides d'enfants sont statistiquement très nombreux, si si si. Les nourrissons, qui ont l'âme impressionnable, pigent très vite à l'arrivée s'ils sont attendus ou non, si les visages qui les accueillent sont aimants ou rechignés, si le sein qui les nourrit fournit du lait ou bien du fiel, et si les mots dont on les berce sont aussi doux que des caresses ou plus contondants que le fer. Et ne pouvant ni parler, ni écrire, ni se casser, ni se protéger, ni rien, ceux-là que personne n'attend n'y vont pas par quatre chemins : une petite gorgée d'eau de Javel, une tentative d'envol depuis un sixième étage, ou l'exploration poussée de prises électriques, et hop! ascenseur pour les Limbes! (qu'ils n'auraient jamais dû quitter.)

J'aimerais tant, dit BW, le regard perdu, être content de vivre, serein d'esprit, imbu de moi comme de toi.

Si j'avais au moins un coach de vie! s'exclame-t-il en éclatant de rire.

Lorsqu'il ne se craint plus, lorsqu'il est revenu de son enfer, lorsque s'est retirée la marée du chagrin et qu'alors il oublie qu'il a voulu mourir, BW compte sa mélancolie au nombre de ses qualités d'éditeur : celle-ci lui permet d'accueillir sans effarouchement ces textes nés du fond de l'abîme, dont quelques-uns, dit-il, sont remarquables.
La fréquentation régulière de ses propres démons le rend accueillant aux démons des autres. Et la littérature, dit BW, est faite par les démons à part égale avec les anges, non ?

Est-ce d'avoir prononcé le mot ange, BW se souvient tout à coup d'un épisode triste de sa petite enfance.

Il a 4 ans. Ses parents le conduisent à la fête foraine et l'invitent à monter sur un manège tournant.

La règle est la suivante : si les enfants attrapent le pompon actionné par le forain, ils bénéficient d'un tour gratuit.

Le forain qui est aux manettes a dû repérer, parmi tous les enfants, celui au visage grave et au regard farouche, car il ne cesse de caresser BW de son pompon, de le lui glisser sur la joue, de l'insinuer entre ses mains, de le poser gentiment sur son épaule et de l'installer carrément sur ses genoux.

BW se souvient, cinquante-huit ans après, se souvient comme si c'était hier, de ne pas s'être autorisé à attraper le pompon malgré le désir immense qu'il en a. Il ne peut pas effectuer ce tout petit geste. Il ne peut pas. C'est au-dessus de ses forces. Il est incapable d'esquisser le moindre mouvement. Tout BW tient déjà dans le geste impossible de cet enfant de 4 ans. L'orgueil, un excès de pudeur, la honte d'être surpris dans l'intensité de son désir, le sentiment d'une faveur imméritée, la désolation qui s'ensuit et quelque chose d'autre qu'il ne sait pas nommer, le paralysent. Il reste recroquevillé sur son cheval de bois, figé dans une ataraxie doulou- reuse, avec juste une petite grimace des lèvres parce qu'il se retient de sangloter, cependant que sur le bord du manège, les adultes s'amusent devant ce qu'ils croient

être une timidité d'enfant, c'est le pompon, dit BW
qui ne peut s'empêcher de
Arrête!
Arrête quoi?
Arrête de me donner envie de pleurer!
Il m'est interdit d'attraper le pompon, continue BW,
comme il m'est interdit, sauf exception, d'écrire. Je suis
éditeur, dit BW, grâce à cette interdiction.
Mais c'est affreusement triste!
Oui et non!
Oui ou non?
Non!
Des clous! fais-je en moi-même.
Car je n'en crois rien.

Ce que je crois, en revanche, c'est que BW n'aime pas
son enfance. Cette chose dont j'essaie de me débar-
rasser, dit-il, mais qui s'accroche, qui s'accroche. J'ai
beau lui filer des coups de pied, lui dire lâche-moi,
dégage. Rien à faire! Elle reste agrippée. Y aurait-il un
moyen de se séparer de cette saloperie? de cette tique?
de cette arapède? Quel est le crétin qui a déclaré Je
suis de mon enfance comme d'un pays! Quel pays?
La Corée du Nord peut-être?

Il serait faux, cependant, de croire que l'enfance de BW
ne fut pour lui qu'un mauvais moment à passer, ainsi
que parfois il s'en flatte.

Il y eut le sexe et les imaginations les plus débridées, les plus échevelées, les plus affriolantes, les plus extravagantes et les plus frénétiques sur ledit sexe qui se puissent concevoir, lesquelles donnèrent, à l'enfance de BW, sa saveur.

À 10 ans, BW lit en cachette les numéros de *Paris Hollywood* et de *Ciné Revue* que son copain Édouard lui refile. Les actrices, fort maquillées, y sont pourvues de gros seins et de non moins gros culs, appendices du corps qu'une pratique immémoriale a consacrés comme lubriques. BW, précocement, s'inscrit dans la tradition : il adore.
Son champ littéraire s'en trouve soudain extraordinairement élargi. N'oublie pas de l'écrire, dit BW. N'oublie pas de dire que ces lectures-là furent aussi importantes pour la suite que la lecture des grands textes. Very very importantes.
Désormais, dans les fantaisies imaginaires de BW, le mauvais goût fraie avec le sublime, le porno étaye le chic, le trivial s'intègre au classique, des starlettes mamelues côtoient les héros de légende, Kim Novak escorte avantageusement Robin des Bois qui s'adonne au commerce charnel avec autant de conviction qu'à la traque des riches, Sophia Loren complète la figure chaste de Colomba en lui adjoignant une forte poitrine et des désirs honteusement libidineux, quant à Michel Strogoff, il se trouve doté d'attributs considérables,

lesquels expriment agressivement de fulgurantes exigences et de non moins fulgurants appétits.

En un mot, ma culture s'humanise, dit BW, rieur.

Et le cinéma concourt à son humanisation.

Car BW est fou de cinéma.

D'ailleurs, en octobre 56 (il a 10 ans), peu s'en faut qu'il n'en meure. (Tout ce que BW aime, il l'aime excessivement. Et tout ce qu'il exècre, il l'exècre excessivement. BW est, je l'ai déjà dit, excessif en tout.)

Ce jour-là donc, son père conduit une de ces estafettes Citroën qu'on appelle des Tubes. Son oncle est assis à l'avant. Lui à l'arrière. Ils vont à Cébazat livrer je ne sais quoi.

Lorsque son père, au sommet d'une côte, ralentit, BW ouvre la portière latérale du Tube qui est coulissante, et saute de la voiture ainsi qu'il l'a vu faire à Eddie Constantine, alias Lemmy Caution, dans *Ça va barder*.

Son roulé-boulé s'achève dans un buisson d'où il ressort couvert d'épines et tout sanguinolent.

BW en conclut modestement qu'il a encore quelques progrès à faire avant d'acquérir le délié reptilien du fameux détective.

Il n'avouera jamais la véritable cause de sa chute au père infortuné, lequel s'accusera, la mort dans l'âme, de stupide négligence et de grave irresponsabilité.

Le cinéma, disais-je, a le don d'enfiévrer BW. Et puisque son père, pour augmenter un salaire congru de chauffeur-livreur, travaille comme projectionniste à l'Étoile Palace, BW, qui a obtenu le droit de l'accompagner, visionne ainsi des centaines et des centaines de films.

Il devient imbattable sur le nom des actrices et leur filmographie. À Michèle Morgan trop pincée et austère, il préfère de beaucoup Martine Carol plus vulgaire et plus sexe, ou Gina Lolobrigida 110 de tour de poitrine et 110 de tour de cul, ou plus encore l'hyperbolique et libidineuse Maria Grazia Buccella qu'il a vue dans *Les Derniers Jours d'un empire* dans un état d'excitation proche de la folie.

Mais entre toutes ces bouleversantes créatures, Kim Novak reste l'indétrônable.

C'est de la bombe, dit BW.

Il l'adore au point de lui pardonner sa blondeur. Il l'imagine nue. Il l'imagine en train de se démener sur sa queue. Il l'imagine en train de lui tailler une pipe. Il l'imagine renversée, irrésistible, les seins offerts, suppliante. Il invente des scenarii où elle est l'Héroïne, kiffante à mort, aphrodisiaque comme aucune autre.

Car BW, je l'ai déjà dit, est un enfant doué d'une imagination faramineuse. Et ce trait d'enfance lui est resté. BW peut, à partir d'un simple détail, construire cent fictions, improviser cent titres, autant de dénouements, des meurtres à foison, des vengeances horrifiques, des pièges à femmes, des incendies, des trahisons, des guets-apens et des retournements imprévus qui s'échouent infailliblement sur d'insondables énigmes. Il peut aussi, et c'est la face sombre de ce pouvoir qu'il a, il peut aussi, d'une simple remarque qu'étourdiment on lui a jetée, construire un véritable drame en cinq actes avec final tragicomique. Ses proches en savent quelque chose et marchent sur des œufs lorsque l'ambiance walletienne est à la foudre. Mais revenons au cinéma. Où BW fait ce qu'on appelle ses humanités.

Il y est très assidu.

Il assiste aux trois séances (le cinéma, à cette époque, est permanent) de *Volets clos* afin d'apercevoir, l'espace d'un éclair, le sein légèrement découvert d'Eleonora Rossi Drago. Il est dans tous ses états.

Il comprend confusément que Deborah Kerr dans *Les Mines du roi Salomon* cherche quelque chose de sexuel comme il le cherche lui-même, et ça le rend cinglé.

Les moulinets, estocades, soufflets, uppercuts, volte-face, bonds en avant, triples sauts arrière, noyades et tortures diverses infligées aux méchants dans *Les Révoltés du Bounty* le font rire de plaisir.

Son cœur s'emballe avec *Seuls sont les indomptés*. Kirk Douglas c'est lui. L'Indompté c'est lui. L'incompris, c'est lui, c'est lui, c'est lui. Sa solitude, c'est la sienne. Et sa douleur à s'écorcher contre les barbelés du monde, la sienne, la sienne, la sienne. Comment quelqu'un a-t-il pu le deviner à ce point?

Rentré à la maison, BW médite des stratagèmes dont

la mise en pratique s'avérera, il l'espère, plus aisée que dans les films dont il a suivi sur l'écran l'intrigue compliquée. Il rêve, en vérité, de sauter tante Antonia, laquelle s'est un jour dévêtue devant lui pour essayer une robe confectionnée par sa mère. Et BW n'est pas de bois. Il est même tout le contraire. (BW cherche un instant quel serait le contraire.) Il échafaude des plans pour la coincer puisque, effrontément, elle le provoque, avec ses tenues affolantes, avec ses seins braqués sur lui, avec sa bouche rouge, humide, charnue, irrésistible, une bouche à baisers, une bouche d'amour. Il essaie, sous des prétextes divers, de l'attirer plusieurs fois dans la cuisine avec la ferme intention de l'embrasser et de caresser sa poitrine. Échec total. Est-ce que tante Antonia devine ce qui le brûle?

BW : Je voudrais que tu souffres pour moi.
Moi : Tu n'as pas honte!

Moi, lui tendant le téléphone : Untel souhaiterait te parler d'un manuscrit qu'il t'a envoyé il y a plus de deux mois.
BW qui s'est levé du pied gauche : Dis-lui que je me suis taillé à Guadalumpur pour ne plus voir sa gueule.
Réplique que je dois traduire dans les secondes qui suivent en termes aimables, empreints de bonhomie si possible, et prononcés si possible sur un ton dégagé

à l'adresse de l'interlocuteur qui, à l'autre bout du fil, manie son téléphone comme s'il s'agissait d'un Smith & Wesson.

Retour sur le front du savoir.

BW mène conjointement les tâtonnantes recherches sexuelles susmentionées et des explorations nettement plus spirituelles, ces dernières s'avérant, il faut l'avouer, nettement plus fructueuses.

À 14 ans, il compose, au lycée, une revue, *Ploc*, où il remet en cause le pouvoir abusif de certains professeurs et l'enseignement stupide du français à l'école, qu'il ne peut s'empêcher de comparer à celui, impeccable, des livres qu'il lit la nuit, sous les draps.

Trois ans après, il crée le premier numéro de *Lunar Caustic* dont il est le seul signataire, et va le déposer dans la librairie de Jean Rome, en haut de la rue des Gras, qui vend des livres que l'on ne trouve nulle part ailleurs et qui sentent, dit-on, le soufre.

C'est là, sous l'œil bienveillant de Jean Rome, qu'il rencontre J. qui lui présente Pierre Michon. L'amitié entre eux est immédiate.

Viennent se joindre aux trois : K., M. et F. qui est inscrit aux Jeunesses communistes et les initiera au savoir politique, ainsi que quelques autres.

Bientôt, ils forment une bande.

Les lient : une même passion pour la littérature qui doit se traduire dans tous les actes de la vie ou n'être rien, et une même idée de la révolte conçue non comme un discours séparé de soi mais comme une expérience éprouvée à chaque instant de l'existence. Ils ont fait leur le slogan situationniste : Le parti pris de la vie est un parti pris politique. Et dénoncent avec véhémence le manque à vivre de ceux qu'ils appellent, hautainement, « les boulistes ».

Le monde, à leurs yeux, pullule de boulistes. Les boulistes ont renoncé à vivre. Les boulistes sont en survie. Les boulistes vivent sans vivre et meurent en esclaves. Les boulistes osent à peine s'éloigner de leur niche. On leur souffle des peurs honteuses et des haines absurdes. On entretient leur abrutissement. On les abasourdit de slogans. On les assomme de vaines marchandises.

Qui sont ces boulistes ?

Les premiers des boulistes auxquels ils pensent sont les gens de leur famille qui mènent une vie dont ils ne voudraient pour rien au monde. Le père de BW, chauffeur-livreur : broyé. L'oncle René, ouvrier chez Michelin : broyé. Tante Lucienne, ouvrière chez Michelin : broyée. Tante Antonia, ouvrière chez Michelin : broyée mais belle encore en dépit de vingt ans de travail à genoux dans l'atelier de calandrage. Tous dociles, polis, disciplinés, travailleurs, ne réclamant rien. Tous broyés, sans qu'ils s'en aperçoivent.

La bande imaginera des actions pour secouer ces malheureux boulistes, fouetter leur âme exsangue, désencrasser leur cœur, les arracher à la torpeur où ils sombrent, détruire les préjugés dans lesquels lentement ils moisissent.

La bande organisera des situations violentes qui les réveilleront de leur résignation, puis les initieront à la vie vivante qui est à portée de main et qu'il suffit, au fond, de cueillir.

Voici comment :

Le 15 mars 1966 : on prévoit une attaque contre le Pr Debray-Ritzen, psychiatre éminent et roi des boulistes, lequel doit faire une abjecte conférence à la faculté de médecine sur sa façon de décérébrer les malades mentaux avec l'accord enthousiasmé de leurs familles.

Les choses s'organiseront de la sorte : BW, qui est le plus rapide, pénétrera dans l'amphithéâtre, s'approchera de Debray-Ritzen, lui lancera à travers la poire le contenu d'un flacon d'encre rouge et s'enfuira à toutes jambes, en même temps que ses comparses, disséminés dans la salle, jetteront des tracts intitulés *La Psychiatrie dans le boudoir*, avant de déguerpir à leur tour.

BW, quarante ans plus tard, n'a rien oublié des détails de l'attaque : la phrase, qu'une fois sur le devant de l'amphi, il prononce : C'est toi Debray-Ritzen ? la stupéfaction de celui-ci, le public tétanisé, la fuite folle, puis, les copains retrouvés, et les rires les rires les rires à n'en plus finir.

On a ri toute la nuit.

Pourquoi les méfaits rendent-ils si joyeux ?

Liste très incomplète des méfaits perpétrés par la petite bande entre 1966 et 1968, ayant déclenché d'innombrables accès d'hilarité :

– le casse d'une armurerie rue Saint-Pardoux dans le dessein de fournir des armes aux GARI espagnols, geste plus esthétique qu'autre chose, consent BW avec modestie,

– le bris des glaces de six voitures de luxe stationnées dans la station de Vichy qualifiée de bourgeoise, lequel bris déclenchera des alarmes stridentes qui les feront s'égailler comme des moineaux,

– la débaptisation des rues portant des noms célèbres de religieux ou de militaires et leur rebaptisation immédiate : le panneau de la rue Pierre-Dac remplacera celui de l'avenue du Saint-Esprit, le panneau de la rue Luiggi-Lucchini celui de la rue Sainte-Jeanne, etc.,

– le vol de trois stencils électroniques à la faculté des lettres afin de réaliser de beaux tracts,

– l'attaque d'un ossuaire à Saint-Florent. Pour jouer Hamlet ? Non. Pour revendre les crânes à des maniaques,

– le pèlerinage à Billom où Bataille eut l'heur de naître, et la beuverie mémorable qui, nécessairement, s'ensuivit,

– l'abattage laborieux d'un poteau télégraphique à Vic-le-Comte car il s'agissait de perturber la communication entre les hommes pour en dénoncer le semblant,

– le lancement de pavés dans la vitrine du premier supermarché qui venait de s'ouvrir à Clermont, car il s'agissait d'exprimer avec fracas le refus écœuré de l'obésité marchande,

– les nombreuses irruptions à la Maison du Peuple, car il s'agissait de mettre à mal la phraséologie vide des militants professionnels qui s'y exhibaient (cégétistes, communistes et autres chanteurs de gauche fumant la pipe pouf pouf), le tout agrémenté d'insultes, trou du cul, enfoiré, concombre, stalinien, pauvre objet, grossière redondance, raclure de bidet, et de fous rires irrésistibles.

Crois-tu qu'après la prochaine opération je retrouverai une vue suffisante pour rire ?

Le soir, dit BW, on se retrouve au café *Le Cadran* dans les toilettes duquel Mado fait pour 5 francs des pipes magistrales. Ou on se réunit dans l'appartement que je partage avec F. et qu'on occupe gratis, le logement ayant été décrété insalubre par les services d'hygiène de la Ville.

On se livre fougueusement aux joies de la spéculation et aux rounds dialectiques en trois manches. On fustige le règne *des hommes pestilentiels mangeurs des biens des pauvres* en citant tour à tour le Testament de Moïse (VII,3-VIII,1) dont la vertigineuse audace fut prudemment oubliée au long des siècles, dit BW, et *Le*

Capital de Karl Marx, cent fois trahi et cent fois recyclé. Mais on parle surtout littérature en ne sauvant de la liste infinie des auteurs que les rares à vivre leur œuvre en leur âme et leur corps.

Debord est de ceux-là.

Les autres, au feu !

BW a fait la découverte en 1964 du n° 7 de la revue l'*Internationale situationniste* dont Debord est en quelque sorte l'épicentre. Pour l'adolescent qu'il est, cette lecture est un choc inoubliable. Il va dévorer, dans une exaltation croissante, toute la littérature situationniste, des *Lèvres nues* jusqu'à *Potlach*, ainsi que tous les numéros de l'*I.S.* Et lorsqu'il fera son premier grand voyage en 1969, il n'emportera qu'un seul livre : *La Société du spectacle*.

On lit beaucoup, donc. Outre Debord, on lit Sade, Lichtenberg, Rimbaud, Lautréamont et Pascal (ces deux désormais associés), Artaud, Michaux, Lowry, Bataille, tous ceux dont l'œuvre s'abouche à la vie. Et l'on se berce, sans trop y croire, de l'espoir vague et très velléitaire qu'un jour l'on figurera sur la liste.

À ce moment de son histoire, BW a 20 ans. Faire carrière est, pour lui, la pire des immoralités, et se soumettre à la notation des professeurs, le pire des abaissements.

Hors de question, par conséquent, de s'inscrire à la fac. Et si BW fréquente celles de Nanterre, de Lyon, de Toulouse, de Nantes ou Saint-Nazaire, c'est en tant qu'anarchiste itinérant, dit-il en se moquant de lui.

Le travail souterrain de ces jeunes hommes qui vont, à son exemple, semer la parole libertaire, va être relayé bientôt par les événements de Mai 68.

Sur ce fameux mois de mai, BW est peu loquace. À croire qu'il ne l'inspire pas. Il raconte juste qu'il a défilé, en queue de cortège, avec une poignée d'autres réfractaires, derrière une bannière en plastique transparent trouée en son milieu, et scandant à tue-tête *Zorro! Zorro!* Ça indisposait les communistes autant que les cagots gauchistes, se réjouit BW qui se plaît à indisposer les consensus de tous ordres.

Car BW déteste tous les consensus, et les consensus littéraires plus encore que les autres. Les académies, les cercles, les cocktails, les cénacles, les soirées où se fabriquent les consensus, BW les a en horreur. Tout comme ceux qui les composent.

Peut-il expliquer pourquoi?

1. Parce que comme les chiens ils ne savent que suivre (c'est de qui?) et se rangent toujours dans un concert parfait à l'avis du plus fort, comment voulez-vous ma bonne dame que les démocraties fonctionnent!

2. Parce qu'ils soldent à bas prix leur cœur et leur conscience, ce qui va à l'encontre des principes du Marché et de ceux de l'Évangile sur lesquels BW, il le souligne, est très très à cheval.

3. Parce qu'ils s'exècrent passionnément et passionnément s'agonissent de bontés, pratique qui suppose

un talent remarquable dans l'art de faire des simagrées, talent dont tout le monde n'est pas également doté, la vie est injuste.

4. Parce qu'ils insultent ce qui nous est cher et flattent ce qui nous rebute (c'est de qui?). Mais bon sang pour complaire à quelle brute épaisse?

5. Parce qu'ils sont souvent mécontents et prennent la pose mécontente pensant que ça fait hype, la pose bof, la pose c'est de la merde. Je sais de quoi je parle. La pose, je l'ai prise. Le cirque, j'ai donné. Putain j'ai donné.

Qu'est-ce que je prépare à dîner ce soir? Veux-tu une salade verte pour accompagner l'agneau?

Une salade verte? Je ne suis pas un mouton!

On va peut-être (BW poursuit son idée), on va sans doute me dire aigri, vexé, et revenu de tout. Je ne crois pas que je le sois. Simplement je n'adhère plus comme avant aux règles en vigueur dans le petit milieu.

Je considère, en outre, qu'adhérer est la principale vertu des mollusques. Et je n'adhère pas plus, revenons à 68 si tu veux bien, je n'adhère pas plus aux valeurs incarnées par ceux qui brandissent alors le drapeau tricolore, qu'à celles des militants qui défilent en rangs serrés derrière le drapeau frappé de la faucille et du marteau.

S'il faut agiter un chiffon en signe de ralliement, déclare BW, une bannière en plastique, trouée en son milieu, fera merveilleusement l'affaire.

Trouée? Pourquoi trouée?

Pour toute réponse, BW se ronge consciencieusement les ongles.

Tiens, dit-il, mon pantalon est décousu, et sur ces mots il éclate de rire.

Pourquoi ris-tu?

Parce que je me souviens d'une chanson grivoise que je trouvais, à 8 ans, irrésistible.

BW chantonne :

Mon pantalon est décousu, et si ça continue, on me verra le trou de

mon pantalon est décousu et si ça continue on me verra le trou du

De l'après-68, BW dit seulement qu'il fut une longue et maussade redescente, tu n'auras qu'à broder.

Il se verra contraint, pour gagner sa vie, de rejoindre le bétail (ce sont ses mots) et d'exercer des tâches mornes où il fera semblant, dit-il, de vivre et de penser, tagada, pourquoi cet inopiné tagada? Ce même sentiment l'accablera quelques années plus tard lorsque, après des débuts exaltants dans l'édition, il devra se plier aux règles en vigueur dans le marché du livre. Bref, lorsqu'il devra se conformer aux manières du temps.

Qu'est-ce à dire?

Perdu l'enthousiasme naïf du début, ma chérie. Perdue la grâce qui n'obéit à rien et ne relève de personne. Perdus la liberté et le travail selon son cœur! Du pragmatisme

Bon Dieu! Des chiffres please! Des pourcentages nom d'un chien! Et que le blé rentre dans les caisses bordel de merde! Vous avez dit Lowry? La chanteuse?

Aujourd'hui, nouvelle hospitalisation de BW à la Fondation Rothschild. Nouvelle intervention chirurgicale sur son œil droit. Le chirurgien prévient qu'après l'opération les progrès visuels seront lents, très lents. Afin de ne pas céder au chagrin qui se pointe, BW, à la sortie de l'hôpital, déclare se réjouir de ce que son vocabulaire se soit, depuis deux mois, enrichi des mots:
choroïde,
sclérotique,
humeur vitrée,
procès ciliaire,
cavité orbitaire,
milieu réfringent
muscle orbiculaire,
mais le plus beau de tous, dit BW, de très loin le plus beau, c'est le mot amaurose, amaurose, amaurose, amor ose, amor rose, à mort rose! ah morose! ah morose amoureuse!
C'est de moi que tu parles?

BW sans transition: Rien ne sert de courir, il faut partir à point, je connais mes classiques.

Courir, pourtant, BW sait le faire. Et fort bien. Et fort athlétiquement. Et fort victorieusement.

Première course de compétition à 11 ans. BW est en sixième. Comme tous les lycéens clermontois, il participe en mai au cross du nombre qui se déroule au stade de la Gauthière. Il court sans conviction. À vrai dire, il ne trouve nul intérêt à la chose.

Le lendemain, le journal *La Liberté* donne le nom des trois premiers vainqueurs. L'un d'eux s'appelle Vallet. BW fait croire à sa tante Antonia qu'il s'agit de lui. Elle gobe le mensonge et le félicite.

J'ai fait de l'athlétisme pour effacer cette imposture, dit BW. (Il dira la même chose de son travail d'éditeur.)

BW a triché, il a menti pour plaire, il n'est qu'un faux champion n'ayant réalisé qu'une fausse course. L'année d'après, il met, comme il le dit, la gomme, et termine troisième au cross du nombre, derrière Cavatz et Gaby. L'imposture a du bon.

Les choses s'enchaînent.

BW participe à plusieurs compétitions dans le cadre de l'ASSU et gagne à 14 ans sa première compétition sur 800 m. Fort de sa victoire, il décide, le soir même, de faire l'amour à sa tante Antonia qu'il a surprise, l'avant-veille, en déshabillé transparent. Il sonne à sa porte. Il est très ému. Il cherche ses mots. Il est raide comme un piquet et gauche à faire pitié. Antonia met l'émotion de son neveu sur le compte de sa victoire sportive. Maternellement, elle lui prépare un goûter et, après un baiser sur la joue, le renvoie chez sa mère. En partant, BW, rouge de honte et fort désappointé, trébuche sur la commode et lâche un Merde où il fait entrer tout l'océan de sa désillusion.

Il commente aujourd'hui l'épisode en disant que les deux cent trente-six tentatives érotiques qu'il a entreprises entre 13 et 20 ans se sont toutes soldées par des chutes grotesques à bas de son cheval et autres humiliantes déconfitures.

En 1964, il signe avec le club d'athlétisme le Stade clermontois.

En 1966, il bat, à l'entraînement, le record junior d'Auvergne du 1 000 m. En m'annonçant ses exploits, BW fait comiquement saillir ses biceps tout en chantant *je suis un champion je suis un champion je suis je suis je suis un champion.*

Je me demande, dit BW, si ma propension à fuir découle de mes dispositions pour la course ou si mes dispositions pour la course ont été engendrées, fortifiées, augmentées par cette propension à fuir qui se manifesta à peine sus-je marcher.

BW, désormais, se consacre aux soins d'un corps qu'il avait, jusque-là, négligé. Musculation, relaxation, prévention des entorses dont il redoute constamment la survenue, les exercices physiques occupent une grande partie de son temps.

Pour se faire un corps d'athlète, une belle mécanique d'athlète, pour se forger surtout une volonté d'athlète, une volonté de fer, de celle qu'il faut avoir pour quitter ce qu'on aime, BW s'entraîne souvent en compagnie de Jean-Luc Salomon, qui est champion de course à pied sur 5 000 m mais rêve d'être coureur de Formule 1 (il se tuera plus tard sur le circuit Rouen-les-Essarts). Salomon pilote une R8 Gordini bleue avec laquelle il pratique des dérapages contrôlés qui font le bonheur de BW. Ensemble ils montent au col des Goules dans des crissements de pneus, garent la voiture sur le bord de la route, enfilent leur tenue sportive, s'échauffent un instant et courent longtemps d'une même foulée. Rien ne compte alors que la mécanique des muscles, et tout le vert du paysage qui leur entre par les yeux. Rien d'autre.

S'entraîner, ajoute BW, c'est évidemment apprendre l'effort, la ténacité, la pugnacité, l'endurance. Mais c'est surtout apprendre à en chier. Je veux dire à se surpasser. Je veux dire à se passer de sa maman. Je veux dire à s'arracher à la mollesse maternelle, à son émolliente douceur, à son horrible flaccidité, à sa paralysante sollicitude, à son avachissante veulerie... ai-je dit quelque chose qu'il ne fallait pas?

Un jour, au stade Charlety où il dispute les championnats de France universitaires, BW fait ceci d'extraordinaire, en ce sens qu'il n'y peut découvrir sur le moment aucune explication: quelques mètres avant de passer la ligne d'arrivée en vainqueur (il est en tête), il ralentit volontairement et laisse la victoire à celui qui le suit.

Gagner, déclare-t-il, m'a paru trop facile.

Son entraîneur M. Plaza en est abasourdi. Le geste de BW lui est incompréhensible.

Or, ce geste de BW recèle l'une des clés de son être qu'il ne comprendra que plus tard : son désir de réussir (dans quelque domaine que ce soit) est absolument inséparable de son dédain de réussir (de quelque manière que ce soit).

Chez BW, l'un ne va jamais sans l'autre. Jamais.

Cette particularité de BW éclaire ce que sa conduite peut avoir d'illogique aux yeux de ceux, innombrables, chaque jour plus innombrables, chaque jour plus influents, chaque jour plus péremptoires, qui ne regardent d'un geste que sa victoire, et principalement sa victoire financière.

Ceux-là, je les emmerde, dit BW.

Il n'est de réussite, dit-il, qui ne porte son revers de défaite (intérieure). Je te prie de noter ce brillant aphorisme.

Et BW de citer, en renfort, Céline qui écrivit *C'est pas mon genre de réussir*,

ou le révolté d'Alcoy qui, avant qu'on le fusillât, hurla de toute la force dont il était capable *Vive la défaite!*

Les citations ça pose, commente BW (sourire qui dément), et puis ça donne du relief aux pires platitudes.

En juin 1967, BW monte à Paris pour disputer le championnat de France du relais 4 × 800 m. Ils sont quatre relayeurs : Jean Pellez, Bernard Bordiau, Bernard Denant et lui-même.

Face à eux, ils ont l'équipe du CA Montreuil, menée par Michel Jazy qui est considéré alors comme l'un des plus grands coureurs à pied du monde.

Et il se produit ceci : BW et ses trois équipiers battent les favoris.

Pour BW, cette victoire collective est la plus prestigieuse des victoires. L'apothéose.

Monté sur le podium, il a du mal à maîtriser son émotion (une émeute dans sa poitrine).

Il est présélectionné, quelques mois après, pour participer aux Jeux olympiques de Mexico.

Mieux : il est désigné pour porter la flamme olympique dans les rues de Clermont.

Jour de triomphe.

Pendant deux heures, l'attention de toute une ville se porte sur sa personne. Enfin, sur mes guiboles, précise-t-il. Puisque mon être c'est mes guiboles, d'où les regrettables événements qui, quelque temps après, résulteront de ce malheureux malentendu.

BW, toutefois, est fier de cette consécration. Encore aujourd'hui, il en est fier. T'en connais beaucoup, toi, des éditeurs sélectionnés pour les JO ? T'en connais beaucoup qui ont mes biscottos ? Vise un peu ! Du bronze ! Et BW prend la pose de Monsieur Propre. Touche-moi ça ! dit-il en soulevant le bas de son pantalon. Tu as déjà vu des jambiers pareils ?

Mais une fois arrivé à Font-Romeu où l'on prépare les athlètes au championnat du monde, BW s'ennuie, trouve stupide l'idée même de compétition, souffre de l'absence de réflexion politique chez ses compagnons de stage, supporte mal l'ambiance de caserne où il est confiné, et regrette la présence remuante de ses camarades clermontois qui considèrent le sport avec une condescendance mêlée de mépris.

Un matin, il fait sa valise.

Le sport, fini!

Il lui fait ses adieux.

BW a cette faculté de faire ses adieux, d'un geste emporté, à la situation la plus excellente (il quittera en 1991 le poste de directeur du développement chez Christian Bourgois et sa coquette rétribution, coquette!). C'est une faculté qu'il a découverte chez les hindous, lesquels, du jour au lendemain, se dépouillent de tout sur un coup de tête (mais un coup porté par une main divine), et plantent là leurs biens, leur situation, leur épouse en larmes et leurs douze enfants éplorés, et ce dans la seule intention de gagner le salut. BW cherche-t-il à gagner son salut?

La brutalité de sa décision, en tout cas, accable son entourage, qui ne la saisit pas.

Moi non plus, dit BW.

Car BW peut prendre de grandes résolutions sans les comprendre.

C'est cette disposition de son âme qui fait de lui, me semble-t-il, un grand lecteur. C'est cette disposition de son âme qui le fait «communier» avec Don Quichotte, le Prince Mychkine, Bartleby ou Gregor Samsa. Car leur énigme, car l'obscurité de leur âme, car l'inexplicable de leurs gestes, loin de le surprendre, de l'inquiéter ou de l'effarer, lui semblent, au contraire, témoigner de leur humanité même.

Il arrive que BW élucide dans l'après-coup les décisions tranchantes auxquelles il s'est rendu sans bien savoir pourquoi.

De son refus catégorique de participer aux JO de Mexico, BW dit, par exemple:

C'est comme si j'avais voulu couper à une logique inexorable, à une voie trop bien tracée, à un sens de ma vie trop prévisible. C'est comme si j'avais voulu briser un enchaînement trop huilé. Marquer mon refus d'embrasser, comme on dit, un domaine et un seul, fût-il le plus parfait. D'ailleurs je n'ai jamais compris que l'on puisse se satisfaire d'une seule marotte, d'un seul Dieu, d'un seul livre, encore moins d'un seul amour.

Ou bien il dit Ça m'embêtait de n'être qu'une paire de quilles. Je ne suis pas Zizi Jeanmaire, merde! Quoique je me verrais bien dans un tutu en plumes. Roses.

Ou, à court d'arguments: Quise huyir el destino.

Ou encore: Quise provocar el destino.

Ou, plus alambiqué : Je me suis opéré du sport par amour du style.

Que vient foutre ici l'amour du style ? Expliquez-moi un peu !
Tu devrais le savoir, dit BW, le style en littérature, c'est l'art de rompre avec ce qui, dans le langage, va de soi, c'est l'art de déplacer les logiques communes, de quitter les sentiers battus, de se défaire de l'ancienne grammaire, enfin tu connais la chanson du style que chantent les écrivains lorsqu'ils ont bien appris leur couplet, sans s'aviser, du reste, les pauvrets, que ce pont-aux-ânes creusait définitivement leur tombe.

BW cède donc, par amour du style, à son invincible mouvement de partir.
Son entraîneur, effondré, le raisonne, en appelle à ses sentiments civiques (grave erreur de tactique pour amener BW à fléchir, si tant est qu'on le puisse fléchir) et prêche vigoureusement son retour immédiat.
Ses parents, le croyant démoralisé, lui prodiguent des paroles de réconfort et le supplient de revenir sur sa décision avant qu'il ne soit trop tard.
Mais BW est une lame.
Rien ni personne ne peut le plier lorsqu'il a décidé de foutre le camp.
Rien au monde ne peut le retenir. Aucune main. Aucune chaîne. Aucun amour. Aucune vigne.

On n'immobilisera pas le Vésuve
Par des vignes!...

Bien qu'elle lui demeure mystérieuse, sa décision lui fait du bien, et dans son cœur l'angoisse ensevelie va se tenir tranquille pendant encore quelques mois.

BW : Crois-tu que l'amour est plus fort que
Dis-moi quelque chose.
Touche-moi.
Touche-moi.

Retour à Clermont où BW fait des petits boulots : journaliste à *La Montagne* où il tient la chronique des faits divers, manutentionnaire aux Économats du Centre où les employés font tout le jour des plaisanteries salaces auxquelles il faut rire sous peine de passer pour puceau, c'est lassant, dessinateur improvisé de salles de bains chez Confort 2000, taqueur la nuit à *La Montagne* avec des types qui avalent douze bières en huit heures, à la tienne Étienne, putain qu'il fait soif...
Puis un matin de 1969, brusque départ pour l'Inde, voir plus haut.

Combattre : l'*Iliade*.
Voyager : l'*Odyssée*.
Toute grande œuvre est soit une iliade soit une odyssée, a dit Queneau.

Toute grande vie.

Parfois, l'iliade et l'odyssée se conjuguent, dis-je.

Et c'est le bordel, dit BW.

1973, Odyssée 2. Italie, Yougoslavie, Bulgarie, Turquie, Irak, Syrie, Liban et Jordanie par l'itinéraire bis. Huit mois *on the road*.

En Jordanie, BW, qui a 27 ans, découvre une guerre en creux.

Est-ce ce séjour-là qui lui a infusé cette intelligence qu'il a de la guerre ?

Car BW a l'intelligence de la guerre à un degré inimaginable. Autant que l'intelligence du sexe, complète-t-il avec de faux airs de matamore. Ces deux intelligences auraient-elles donc quelques similitudes ? Nous y répondrons ultérieurement lorsque nous aborderons le chapitre des femmes de sa vie, car nous gardons le meilleur pour la fin.

Lorsque je dis que BW a l'intelligence de la guerre, je veux dire par là qu'il sait, sur-le-champ, qui est son ennemi derrière les plus benoîtes apparences, quels sont ses points forts, ses points faibles, ses feintes, ses stratagèmes, ses séductions, ses embuscades, je veux dire qu'il sait quelle distance il convient d'établir avec lui, ou à quel néant définitivement le vouer.

BW a la capacité, par exemple, d'identifier dès la cinquième minute d'un film policier l'ennemi recherché par toutes les polices. C'est la pure vérité.

Il est tout aussi prompt à détecter les ennemis de la littérature, et parmi eux les ennemis de la pire espèce, c'est-à-dire l'espèce qui lit, c'est-à-dire l'espèce qui ad*ô*re lire, c'est-à-dire l'espèce qui ad*ô*re s'empiffrer de sentiments climatisés et d'histoires neuneus,
mais qui se sent prise de panique devant les textes
du pauvre Swedenborg,
ou du pauvre Sade,
ou du pauvre Hölderlin,
ou du pauvre Lautréamont,
ou du pauvre Artaud,
et leur préfère des livres bio, des livres inoffensifs et propres, des livres expurgés du terrible, expurgés du mal et de la déraison qui rongent tous les hommes.
Ai-je encore le droit, demande BW, de prononcer des choses graves sans que tu affiches ces airs?

BW, disais-je, a l'âme d'un guerrier, j'hésite devant ce terme qui sonne avec emphase, mais je n'en trouve pas de plus approprié.
BW a du cran. Il risque. Il monte au front. Il charge. Il sait brider sa peur. Il renverse. Il tombe. Il n'accepte sa reddition qu'à deux pas d'être piétiné. Il a l'audace des timides (les grands guerriers sont, paraît-il, de grands timides). Il a le goût de la bataille. Il regrette l'époque où l'on s'expliquait au sabre. Il regrette l'époque où les salopards finissaient en brochettes. Il sait reconnaître, dès la première page, les livres guerriers :

autrement dit les livres de littérature, et guerrièrement les défendre.

Combattre, aussi, c'est remercier.

Mais cet esprit guerrier ne lui sert à rien, dit-il, face aux manœuvres éditoriales qui sont en cours aujourd'hui. À rien de rien.
Pourquoi?
Parce que la guerre y est indéclarée.
Parce que l'ennemi (le système) y est sans visage et qu'on ne sait vers quoi pointer ses larmes, ses armes.
Parce que les grandes boîtes d'édition pourvoyeuses de gros titres, je schématise exprès, disposent de moyens avec lesquels les petites, plus braves et culottées, plus libres et inventives, ne peuvent en aucune manière rivaliser.
Parce que celles-là, à plus ou moins long terme, dévoreront celles-ci (et n'en feront qu'une bouchée).
Parce qu'il faudrait pour refaire l'édition (ces derniers mots prononcés avec lassitude) refaire tout simplement le monde.
Conclusion:
Les forces en présence étant trop inégales, BW, de guerre lasse, baisse les bras.

Mais revenons en 73, quand BW ne s'est pas encore lancé dans l'édition, quand il ne sait pas encore qu'elle sera la grande affaire de sa vie, et qu'il étouffe déjà, mais pour d'autres motifs.

BW, en Jordanie, découvre une guerre en creux, une guerre qui a déjà eu lieu et dont la terre et le ciel se souviennent encore.

Un jour où il roule en Jeep dans la région du nord de Jéricho, il traverse plusieurs villages qui lui semblent déshabités.

Que leur est-il arrivé?

D'où vient cette désolation muette des pierres? cette plainte étouffée qui monte de la terre jusqu'au ciel?

D'où vient cette tristesse qui, en les parcourant, lui empoigne le cœur?

Car rien n'est plus triste, dit BW dans un sursaut révolté, rien n'est plus triste que ces villages dont on devine qu'ils ont été abandonnés dans la terreur et dans la hâte, avec leurs meubles abandonnés, leurs jardins abandonnés, leurs journaux abandonnés, leurs photos abandonnées, leurs champs abandonnés, et les portes de leurs maisons qui claquent, mélancoliques, au passage des fantômes.

BW s'enquiert des causes d'un abandon si brutalement imposé que l'horreur et l'épouvante s'y perçoivent encore, des années après.

On lui explique à contrecœur que ces villages furent occupés pendant quelques années par des Palestiniens.

Un certain nombre d'entre eux s'enfuirent vers le Liban.

Les autres : massacrés.

BW qui cherche à comprendre finit par reconstituer ce qui suit :

Au mois de septembre 1970, en Jordanie, les camps palestiniens, les villages du Nord et les quartiers d'Amman où se sont regroupés les fedayin après la guerre des Six-Jours ont été pilonnés par l'armée jordanienne avec une violence inouïe. Aux portes de la ville, des bulldozers ont dû creuser des fosses pour y enterrer les centaines de cadavres qui recouvraient le sol. Le conflit durera plus d'un an. Et les derniers fedayin quitteront Amman en avril 1971, abandonnés de tous. Ils formeront les premiers commandos de Septembre Noir.

Dans la tête de BW, tout ce qu'il croyait savoir se complique alors affreusement. Chaque voyage que j'ai réalisé, dit BW, est venu compliquer affreusement les idées que je me faisais d'un pays.

En Jordanie, il doit assimiler ceci qui lui aurait paru auparavant inconcevable en dépit de tout ce qu'il avait lu sur les événements de 1970 : les Palestiniens sont gênants, extrêmement gênants pour les pays arabes, et pire que ça. C'est pour lui une gifle.

Le souvenir des rues désertes dans les villages abandonnés par les Palestiniens, le souvenir très précis de leur silence qui ne ressemble à aucun autre et qu'on appelle très justement un silence de mort, ce souvenir résonne encore dans sa mémoire.

Si s'enfuir consiste à se défiler devant l'abjection, vive la fuite, déclare brusquement BW que je croyais endormi.
Tu ne dors pas?
Mais comment veux-tu que je dorme!

Quelques instants après: Il faut se barrer avant d'avoir à se rendre, ou pire, d'être banni.
Et BW, dans un accès sentimental, de faire dans son lit la check-list des bannis, réprouvés, condamnés et exilés (volontaires et involontaires) chers à son cœur:
Épictète congédié par Domitien
Juvénal éloigné par Hadrien
Ovide chassé parce que trop immoral
Dante forcé à l'exil et condamné à mort
Charles d'Orléans emprisonné
Érasme censuré par l'Inquisition
Rabelais réprouvé par la Sorbonne
Jean de la Croix enfermé à Tolède
Quevedo banni de la Cour
Sade emprisonné pour débauche
Voltaire exilé et emprisonné
Diderot emprisonné
Beaumarchais emprisonné
Chateaubriand exilé
Byron mis au ban
Hugo exilé
Baudelaire condamné

Flaubert idem
Kafka exilé
Wilde condamné
Tsvetaïeva exilée
Mandelstam déporté
Joyce exilé
Nabokov exilé
Beckett exilé
Danilo Kis exilé
Artaud exilé d'entre les exilés.
On n'en finirait pas, dit BW, de dérouler la liste de ces
Dispersés qui n'eurent d'autre lieu que la langue.
L'exil, ces auteurs le sucèrent dans le lait maternel,
et plus tard, il (l'exil) les éleva comme un père, c'est
Maimonide qui l'écrit.

Et s'il n'y avait de littérature que d'exil ? Et si le travail
d'éditeur était d'aller à l'*encontre des errants* ? s'interroge
BW qui aussitôt rajoute Ce n'est pas parce qu'une idée
a été cent fois rabâchée qu'elle est fausse.

Puis : Et s'il n'y avait d'éditeurs qu'en colère ?

BW est coléreux. Il est né coléreux. Tout rouge et coléreux.
BW qui est la bonté même, je ne l'ai pas assez dit, BW
est en colère depuis plus de soixante ans.
La colère est son régime, disons, normal.
Mais parfois, BW n'est pas en colère, il est très en

colère. Très très. Excédé. À bout de nerfs. Ce qui change tout. Et surtout le relief des choses. Des aspérités surgissent. Plein d'aspérités surgissent qu'il s'agit, ni plus ni moins, d'aplatir.

Lorsqu'il est très, mais alors très très en colère contre quelqu'un, le premier mouvement de BW est de crier Je vais lui démolir la gueule! Il déduit logiquement de cette réaction qu'il n'est pas un intellectuel. Il l'affirme souvent. As-tu déjà entendu, dit-il, un intellectuel digne de ce nom beugler lors d'un débat Je vais vous démolir la gueule?

Il existe au moins deux êtres sur cette terre au sujet desquels BW a hurlé Je vais lui démolir la gueule. Le premier est un essayiste atteint d'un syndrome le portant à croire qu'on lui vole ses idées. Le deuxième est un... mais non, non, je n'en dirai rien, malgré l'envie qui me brûle, rien.

La seule évocation de ces deux personnes qui nous ont causé dans le passé tant de chagrin fait surgir dans l'esprit de BW (par quelles obscures associations d'idées et au travers de quels labyrinthes?) un souvenir d'enfance que jamais encore il n'a évoqué. Le voici:
À 11 ans, il est en classe de sixième au collège Blaise-Pascal de Clermont-Ferrand.
Pour la rentrée, sa mère lui a confectionné une veste en skaï bleu marine qui est censée imiter le cuir.
Même pas noire! s'écrie BW.

La honte!

Or BW redoute la honte par-dessus tout.

Être la risée : sa hantise.

Ne pas attirer l'attention : son précepte.

Disparaître : sa stratégie.

Sur ce point nous nous ressemblons. On ne s'étonnera pas que nous ayons l'un et l'autre, selon ce principe qui accouple l'ombre à la lumière et l'audace à la timidité, que nous ayons un faible pour l'insolence littéraire la plus flamboyante et les crachats magnifiques jetés par les plus effrontés.

BW, à 11 ans, préfère grelotter de froid plutôt que de porter la veste en simili façonnée par sa mère et dont ses copains pourraient éventuellement se moquer. Car BW a une haute idée de l'élégance et une haute idée de la fierté. C'est d'ailleurs la raison pour laquelle il a publié quatre récits de Pierre Lafargue qui sont des chefs-d'œuvre d'infernale impertinence, d'orgueil fragile et de chic aristo.

Chaque matin, donc, BW part de chez lui, revêtu de la veste en similicuir bleu marine façonnée par sa mère, se l'ôte rue des Minimes, la roule en boule pour la cacher sous l'escalier de l'immeuble situé au n° 12, où il la reprend au retour.

Et c'est en simple pull-over qu'il se rend au collège, en pull-over marron à rayures vertes tricoté par sa mère, saloperie d'enfance. Or BW déteste à un point inimaginable les pull-overs marron à rayures vertes tricotés par sa mère. C'est trop la honte! Pourquoi? Parce que les pull-overs marron tricotés par les mères font pauvre, et que BW déteste faire pauvre. Et d'ailleurs tout le monde déteste faire pauvre! Et d'ailleurs tout le monde aime être bien sapé et prononcer des phrases bien sapées! Mais je ne n'allais quand même pas me rendre au lycée torse nu, commente BW, rires. Ça aurait intrigué.

BW se rend donc au collège, malgré la fraîcheur de l'automne, en simple petit pull-over. Et il doit donner à tous le sentiment que cette tenue est de son choix. Il doit se composer un visage tel qu'il donne à tous le sentiment que cette tenue est de son choix. Et il y parvient. Au prix d'un contrôle incroyable sur lui-même, il y parvient. Et personne ne vient lui demander s'il se les gèle.

J'eusse tant aimé, soupire BW, que tu me visses en cette chevaleresque situation.

Quels autres souvenirs mortifiants BW conserve-t-il de son enfance?

Il est le seul boursier de sa classe.

En a-t-il d'autres?

Son père, lorsqu'il ne dispose pas de la voiture de fonction, se déplace en mobylette. Il arrive qu'il accroche à sa mobylette une remorque. Il arrive qu'il installe BW dans la remorque. Il arrive que des copains voient BW dans la remorque tandis que BW prie le ciel de disparaître de la terre.

Est-ce tout ?

Il habite au Pré-la-Reine. Pire qu'une cité HLM.

Il porte un pantalon à l'ourlet rallongé.

Il rêve d'une mappemonde : on lui dit c'est trop cher.

Doit-il continuer cette liste de joyeusetés ?

Quelles considérations lui inspirent aujourd'hui ces réminiscences ?

Que la vraie colère commence là, dit BW. Que la vraie colère commence très exactement là. Dans cette enfance qui s'avise brutalement que la température de l'air n'est pas la même pour tout le monde. Que la veste en skaï bleu marine est une affreuse imitation. Que les meubles de la salle à manger achetés en promo sont franchement pourraves. Et qu'à la question du copain (le fils d'une huile) : Ton père a quoi comme bagnole ? on reste idiot quelques secondes avant que de mentir, puis la nuit, dans le noir, on imagine tous les endroits possibles où l'on s'enfuira quand on aura 13 ans, le plus loin sera le mieux, le plus loin de ce quartier de merde, le plus loin de ce F3 de merde, le plus loin de ces parents sans thunes et de tout ce qui va avec cette putain de pénurie de fric. Et la colère qui en résulte est une colère inapaisable, tu le sais comme moi.

Le plus souvent elle dort, dis-je.

Mais une injustice, un affront, une simple contrariété, et la voilà qui devient torche, dit BW. Torche. Écris-le.

En 74, BW, habillé désormais comme un lord (il pousse l'élégance, ou l'ironie, comme on voudra, jusqu'à porter un nœud papillon), travaille comme libraire à la librairie du Musée. Tu t'y retrouves ?

Le propriétaire lui propose d'être son associé. Il refuse net.

Car déjà il étouffe, car déjà il s'enlise dans la vie de famille, car déjà bouge en lui son inassouvissable désir de partir.

Toute idée de fixité, de fixation, devrais-je dire comme on le dit des abcès, lui répugne.

Il rêve de plaisirs violents, de visages neufs, de rencontres épiques. Il rêve d'amériques, d'amazones, de pirogues, de trésors enterrés, que sais-je.

Ici il meurt à petit feu de fadeur et d'ennui.

Et chaque jour répète l'autre.

Alors il voyage en livre comme disent les littérateurs qui prétendent voyager en esprit et, mieux encore, à domicile (il y a des métaphores qui m'énervent grave, maugrée BW, dents serrées), les pieds bien au chaud dans leurs pantoufles, les pensées bien rangées dans leur bonnet de nuit, et qui après avoir réalisé trois fois le tour de leur salon déclarent avoir fait le tour du monde puisque le monde, n'est-ce pas, se trouve dans leur tête et nullement ailleurs. Je te leur en foutrais, moi, des expéditions immobiles ! Je te leur en foutrai, moi, des voyages au centre de leur petite personne !

BW n'est pas pour autant, qu'on se rassure, n'est pas un croyant, un illuminé du voyage. Je ne pense pas, dit-il, que le voyage nous restitue le monde mieux que la littérature qui peut tout, ou mieux que l'image qui nous rend le très proche aussi attrayant que s'il venait d'Ailleurs. Je ne me gargarise pas des mots errance, aventure, chemins vagabonds et semelles de vent, toute la foutaise lyrique. Je ne prête aucun crédit particulier au fait d'user ses godasses sur des chemins abrupts. Je n'attends aucune révélation du premier poivrot rencontré dans un bar de Java. Du reste, les écrivains voyageurs me font le plus souvent mourir d'ennui, je suis au regret de l'avouer, sauf si Éric Chevillard se pique de les contrefaire. Alors je ris, je me délecte. D'ailleurs tout Chevillard m'enchante. Tout. Ne t'en déplaise.

BW lit, disais-je, comme un dingue.

La nuit, le jour, le lendemain et le surlendemain, il lit, il lit, il lit, il exagère. Arrête, tu vas te tuer les yeux, le menace sa mère.

Le dernier livre qui l'a littéralement empoigné s'appelle *Véridique Rapport sur les dernières chances de sauver le capitalisme en Italie*. Il est signé Censor et édité chez Champ Libre.

Le livre, tiré à 200 exemplaires en version luxe, a été envoyé aux plus grands patrons d'Italie, lesquels ont manifesté un intérêt certain pour la thèse défendue et que voici que voilà, dit BW qui jubile : Si vous voulez, patrons, amasser davantage, un seul recours : installez le PC au pouvoir. Scandale scandalissime lorsqu'on apprend que l'auteur, Gianfranco Sanguinetti, n'est autre qu'un provocateur situationniste qui se paie la gueule du monde en général, des grands pontes en particulier, et du PC encore pire.

BW en vend quarante exemplaires en moins de quinze jours,

Il est alors contacté par Roger Tavernier, directeur du service export chez Gallimard, qui lui propose un rendez-vous.

BW monte à Paris, passe brillamment les tests d'embauche, répond sans hésiter à la question : Qui est l'auteur de *Martinique charmeuse de serpents* ? et se fait engager huit jours après.

Ici commence l'histoire de BW avec la maison Gallimard.

Elle va durer trente ans.

Avec quelques interruptions.

La plus notoire sera son passage aux Éditions du Seuil.

Ce matin, BW est taciturne.

Je lui demande pourquoi.

Il dit Je pense.

Lorsque BW dit Je pense, c'est qu'il pense à tout ce qui est susceptible de le rendre malheureux.

Il dit Mais putain où t'as foutu mon iPod ?

Il dit C'est sans doute mesquin, mais je supporte mal

de savoir Verticales dirigé par un autre que moi. Ça pourrait, ça devrait ne rien me faire du tout. Mais justement ça me fait quelque chose. Mais justement ça me fait de la peine. Mais justement ça me rend faible et comme dépossédé d'une partie de moi. De la partie la plus vivante de moi. Tu comprends?

Je comprends.

Et je n'aime pas ça, tu comprends?

Je comprends.

Le pire est que je ne sais pas ce qu'il convient d'en faire.

Je suis né au bord de la Manche, ajoute BW en guise d'explication, dans une région où s'étendent à perte de vue les cimetières marins réservés aux soldats morts pendant la guerre de 40. Leur vision a dû me façonner un esprit mélancolique.

Éprouve-t-il du ressentiment?

Pas le moindre. Juste une tristesse. Une tristesse plus envahissante qu'elle ne devrait.

S'attendait-il à éprouver ce sentiment?

À ce tournant de ma vie, j'espérais un dénouement plus… enfin moins… tu comprends?

Quelles choses seraient-elles susceptibles d'endormir sa tristesse à défaut de l'éradiquer?

Un traitement à base de haschisch (vulgairement appelé fumette) : une séance d'inhalation trois fois par jour pendant trois mois.
Doubler les doses si peu d'effets.

A-t-il une autre suggestion ?
La lecture de l'*Histoire des animaux* d'Aristote.

S'ensuit une lecture à voix haute par l'auteur de ces pages d'un extrait, pris au hasard, du livre V-VII de l'*Histoire des animaux*, que voici retranscrit :

> *L'accouplement des quadrupèdes vivipares*
Les animaux qui urinent par-derrière s'unissent croupe contre croupe, par exemple les lions, les lièvres et les lynx ; cependant chez les lynx il arrive souvent que la femelle prenne les devants et monte sur le mâle. Les ourses s'accouplent non pas en laissant le mâle monter sur elles mais en se couchant par terre (comme nous, dis-je). *Les hérissons, eux, se tiennent droit, ventre contre ventre* (comme nous, dis-je). *Les éléphants s'accouplent dans des endroits isolés au voisinage des cours d'eau et là où ils ont l'habitude de vivre* (comme nous, dis-je). *Les chameaux se retirent à l'écart lorsqu'ils s'accouplent et ne se laissent approcher que par leur chamelier* (comme nous, dis-je). *Le chameau a une verge qui est un tendon au point qu'on en fait de la corde pour les arcs.*
Comme moi ! s'écrie BW.

Une nouvelle intervention sur l'œil droit est prévue le 5 novembre. Ce sera la quatrième. L'espoir, lentement, revient.

Ce matin, courrier de Michon que je lis à BW.

À la fin de sa lettre, Michon écrit : Rebondir, oui, dans un bureau ou dans le vaste monde, tu vas le faire. S'il y a encore un éléphant d'Afrique, c'est bien toi.

Aujourd'hui, meilleur visage de BW et meilleures pensées :

Il a reçu de B.C. un message d'amitié.

Il a rêvé qu'une cantatrice noire, après avoir chanté *La Romance de Violette* dans *La Traviata*, lui prenait le sexe dans sa bouche. Et c'était bien.

Souvenir :

BW a 10 ans. Sa tante qui habite Paris l'amène à l'Opéra Garnier. C'est un grand jour.

Sur la scène, un chanteur en jupette romaine pousse d'énormes rugissements. Une grosse dame apparaît qui se met, à son tour, à lancer des cris aigus à vous percer les tympans. Les deux protagonistes ont l'air de se haïr mutuellement et ne se l'envoient pas dire. Mais ils n'en viennent pas aux mains comme on pourrait le craindre. Ils se bornent à hurler comme deux bêtes qu'on égorge, tandis qu'un chœur de pompiers dûment casqués mais dépourvus de lance d'incendie essaie vainement de les faire taire.

Tout à coup, surgit un rival qui braille plus fort que

les deux autres, ce qui n'est pas peu dire. La grosse dame voudrait bien s'enfuir, on la comprend, mais elle craint de se prendre les pieds dans le drapé de sa longue tunique qui nettoie en tous sens le parquet de la scène. Quant au chanteur en jupette romaine, il remue ses sourcils dans une grimace destinée à faire peur, mais ça ne prend pas. L'orchestre se déchaîne pour l'encourager tandis que l'intrus s'incruste, frénétique, et braille que tu brailleras. Personne ne comprend pourquoi il vocifère de la sorte et ce pour la bonne raison qu'il s'exprime de façon incompréhensible (probablement un verbiage allemand). Mais il est clair aux yeux de tous (et surtout aux oreilles) que, bien que vêtu de risible manière, ses intentions profondes n'ont rien de drolatique, il suffit de l'entendre mugir. Voici qu'il s'approche dangereusement de la fosse d'orchestre, va-t-il, par désespoir, s'y jeter? Pile à cet instant précis, revient la grosse dame qui essaie de le détourner de son projet funeste avec ses fameux piaillements et sa robe-balai. À peine l'a-t-elle calmé (au grand soulagement des spectateurs), que le chanteur en jupette romaine se repointe, l'autre repart, la grosse dame le suit, et ainsi de suite jusqu'à la fin, chacun faisant plusieurs allers-retours de la scène aux coulisses avant l'apothéose finale. Comme moi avant de quitter l'Auvergne pour toujours, dit BW, et avant l'apothéose finale que j'attends de pied ferme, et sans ameuter de mes cris tout Paris.

Où en étions-nous? Ah oui, Gallimard.

BW est représentant de la maison Gallimard en Belgique.

Son fils Alexandre vient de naître, et BW s'épuise en allées et venues entre la Belgique et la France pour serrer dans ses bras son enfant qui est resté à Clermont et vers qui vont toutes ses pensées.

Il parcourt en voiture 2 000 km tous les week-ends.

Un jour, sur l'autoroute qui surplombe Namur, il s'endort au volant, et c'est le choc de l'aile droite contre les barrières métalliques qui l'éveille en sursaut. Lorsqu'il pile, sa voiture est à un mètre du vide. Il se dit qu'il ne peut plus continuer ainsi.

BW accepte alors la proposition qui lui est faite d'être représentant en Suisse.

C'est pire.

BW déteste immédiatement le pays.

En 1976, l'affaire Baader-Meinhof occupe tous les esprits et BW exècre la façon dont les Suisses s'en emparent.

Des avis de recherche de la bande à Baader sont affichés partout et jusque chez les pompistes. Tout le pays, en somme, est convié à la battue.

Sans moi, dit BW.

Il ne pense plus qu'à s'en aller. Quitter ce pays propre. Ces routes propres. Ces vaches propres. Ces âmes propres. Je veux dire grises.

Se barrer loin d'elles et ce malgré l'amitié fervente qu'il porte à Jean-Marc Lovay.

Car Lovay est de son bord, il l'a su dès l'instant qu'il lui a parlé.

Que signifie être de son bord?

BW ne répond pas.

Lovay habite un petit village dans le Valais et vient de publier son premier roman chez Gallimard dont BW fait chaque jour la louange auprès des libraires suisses.

BW rend visite à Lovay chaque fois qu'il le peut et s'amuse de ce que, dans le village valaisan où il débarque en costard sombre et grosse bagnole, les habitants le prennent pour un trafiquant de drogue.

Ensemble ils font de longues randonnées, admirent le vol des aigles et la verticalité parfaite de leur chute, évoquent le soir l'Afghanistan de leur nostalgie (ils ont, sans le savoir, habité la même année dans deux villages afghans distants de quelques kilomètres), les livres qu'ils adorent et ceux qu'ils abhorrent, l'art du parapente, l'avenir d'Israël et de la Palestine, le rôle de la dope dans le sport cycliste, l'utilité du parapluie lorsqu'il est détourné de son usage habituel, la question de savoir si les écrivains sont des animaux domestiques comme les autres, les positions philosophiques pour ou contre le port du soutien-gorge, les positions philosophiques pour ou contre le port de la petite culotte, les positions philosophiques pour ou contre le port des jarretelles, la lente et progressive extinction du politique et ses inévitables conséquences dans la littérature, les vins rouges qu'ils préfèrent, la responsabilité de Lénine dans le désastre communiste, l'incompatibilité foncière entre la littérature et la télévision, l'incompatibilité foncière entre l'écriture et le mariage, la réhabilitation par Nietzsche de la réalité tenue pour sale et méprisable par les fumiers idéalistes, la peur comme socle originaire de la psychologie humaine, les moyens possibles de remédier à cette peur, les deux enfants de BW dont les photos ne quittent plus la poche paternelle, et puis les femmes, les femmes, les femmes, les femmes, les femmes, les brunes, les châtaines, les auburns, les blondes, ah non, pas les blondes ! s'exclame BW, les rousses, surtout les rousses, les rousses Espagnoles, les rousses Espagnoles du genre silencieux, les rousses Espagnoles du genre silencieux entichées de Beckett, mais, précise-t-il, à la condition expresse qu'elles ne se prénomment ni Consuelo, ni Socorro, ni Martirio, ni Esperanza, ni Bendición, ni Aparición, ni Quiqua, c'est le temps de l'inconstance, on se prend, on se quitte, ciao, on blâme l'attachement : vice petit-bourgeois, on se fait des serments qu'on défait le soir même, zéro remords.

BW, pendant des heures entières, discute avec son ami Lovay. Car BW est aussi volubile dans l'intimité qu'il est laconique en public.

Sur ce point nous nous ressemblons.

Lorsqu'elles s'adressent au grand nombre, les paroles

qui sortent de nous perdent toujours la marque de leur source intérieure. Comme si, dans leur passage extra-muros, elles s'anémiaient, se dévitalisaient, se détachaient de leur poids d'âme.

Tu me fais pitié, dit BW, chaque fois qu'il me voit balbutier à la télévision des réponses stupides et, parfois même, dans mon égarement, des incongruités.

Et il est vrai que la télé me laisse bête comme une bûche. Plus rien, mais alors rien de singulier, de pertinent, ou simplement de sensé ne transpire au-dehors. Le cœur : affolé. Les pensées : terrées dans un coin du cerveau. Les paroles : coupées de leur centre, et qui errent, qui errent. Le regard semblant dire (à l'instar de Lucienne en visite chez les riches) : excusez du dérangement. Et un seul désir : disparaître.

Si j'essaie de me fabriquer un maintien, c'est pire ! J'ai cet air d'embarras des pauvres qui s'endimanchent, j'ai l'âme endimanchée, engoncée, gênée, comme on dit, aux entournures, et gourde, et bête, et empotée, et éberluée. Une pitié.

Même gaucherie chez BW, même air emprunté (interdit serait plus juste), même désir de se cacher lorsqu'il s'exprime devant un parterre de gens (car la langue dans une telle occurrence ne sert plus de cachette, ce pour quoi elle est faite, que je sache).

Il en est qui se mettent en avant, en cachette avant. Cela plaît. BW et moi nous plaçons machinalement en arrière, en cachette arrière. Cela déplaît, et c'est justice. Car il n'y a rien d'aimable à vouloir s'effacer et paraître plus plat, plus con, plus fade, plus fermé que ce que l'on est véritablement, et plein de grandes déclarations rentrées.

BW et moi nous imbécillisons dès lors que nous sommes en public. Aussi, ceux-là qui, par ingénuité, ou par malice, ou par cynisme, ne s'en tiennent qu'aux apparences, nous prennent à bon droit pour ce que nous semblons.

Dois-je avouer que nous tirons de cette méprise un orgueil douloureux et paradoxal (que je n'aime pas beaucoup)?

Les ressorts de cette insuffisance qui nous amène à balbutier idiotement, à promener ce regard vide propre aux égarés, à dire euh euh d'un air ballot en cherchant l'épithète idoine, plutôt qu'à énoncer des phrases claires et bien senties, voire claironnées, voire trompettées, voire drastiquement assénées, les ressorts de cette insuffisance, disais-je, nous les connaissons parfaitement l'un et l'autre.

Allons-nous les divulguer ici? Obtenir ainsi du lecteur qu'il nous soit indulgent? C'est tentant. Allons-nous jouer complaisamment la carte des humiliations d'une enfance pauvre (être pauvre, dit BW, c'est l'être en mots autant qu'en fric, ça va ensemble tu me diras), et celle de la peur enfantine, toujours prête à resurgir, de parler à l'école un français de guingois?

Tu veux nous la jouer Dickens? plaisante BW.

Allons-nous évoquer ici, répondant au désir modeste

de nous effacer, notre désir symétrique et furieusement immodeste de nous singulariser à tout prix, contradiction déchirante et qui nous mène fatalement à ce mutisme?

On dirait, remarque BW agacé, que tu cherches à nous vendre?

Oui, avoué-je.

Cher, j'espère.

Très cher, avoué-je.

Si au moins c'était vrai, soupire BW. On s'achèterait une baignoire en forme de coquille Saint-Jacques. Mon rêve!

Quelles qu'en soient donc les causes (étudiants en psychologie, au travail!), notre parole publique est, comme le pompon de la fête foraine (voir plus haut), frappée d'illégitimité. L'un et l'autre ne sommes volubiles que dans la plus stricte intimité et dans le cercle des plus vieux amis, qu'ils soient ici remerciés de leur patience.

Comment se défait-on de cette inaptitude? Notre amour démesuré pour les grâces de l'écrit serait-il le revers triomphant de notre balourdise orale? Son remède? Sa vengeance?

Possible. Possible.

Mais ne nous égarons pas dans d'inutiles digressions. Car l'heure est grave et les décisions qui vont être prises dans un instant vont changer définitivement le destin de BW. Nous sommes en 1978, dans la salle où se réunissent les représentants de la maison Gallimard. BW écoute d'une oreille attentive les discours des uns et des autres, lorsque Louis Marcelin Rice, qui lors de sa dernière tournée à Beyrouth a échappé de justesse aux tirs d'un sniper, annonce qu'il ne souhaite plus retourner au Liban. Le pays, en guerre depuis mai 1975, est devenu trop dangereux.

Quelqu'un serait-il tenté de le remplacer?

BW, immédiatement, se désigne.

Comme toujours, immédiatement.

En apparence, immédiatement.

En vérité, BW est las de la Suisse. Depuis le premier jour il en est las. Depuis le premier jour il la déteste. De plus son mariage bat de l'aile, et son bref séjour au Liban en 1973 l'a rendu amoureux du pays.

L'ombre étroite des palmiers lui manque.

Et la mer et le ciel.

Et l'odeur des oranges.

Et le goût poivré de la cardamome.

BW se sent prêt pour un nouveau départ.

Il sera représentant de la maison Gallimard en Israël, au Liban et dans les autres pays arabes, marché conclu.

Il ne mesure pas alors le degré de violence qu'a atteint la guerre au Liban. Il est allé en Irlande en 1969 et en Jordanie en 1973. Il a lu *Vision sur le champ de bataille de Dresde* d'E.T.A. Hoffmann. Il a un savoir livresque et cinématographique sur les deux guerres mondiales.

Il en connaît du dehors les modalités, la logistique, les stratégies, le déroulement. Il en connaît les horreurs innommables. Mais il est tout à fait ignorant des nouvelles formes de guerre qui s'inaugurent au Liban, lesquelles n'observent aucune des règles connues jusqu'ici.

BW n'aime pas se retourner sur cette période de sa vie, bien qu'il la juge absolument décisive. Je l'y oblige en quelque sorte. Au début, il répond à mes questions avec réticence et de manière évasive, mêlant dates et incidents. Puis au fur et à mesure qu'il raconte l'horrible boucherie, des détails plus précis lui reviennent à l'esprit, lesquels enrouent sa voix et assombrissent son visage.

BW arrive à Beyrouth en février 78 et s'installe à l'hôtel Bristol (qu'il appelle son Deuxième Bureau) dans la partie ouest de la ville.
À peine arrivé, il prend contact avec les libraires. Et il a l'heureuse surprise de constater que tous continuent de travailler, certains dans des conditions délirantes.
BW se prend d'une amitié instantanée pour un Arménien, Antranik Helvadjian, qui, après la destruction de sa librairie par une bombe, a déménagé ce qui lui restait de livres dans son propre appartement. Antranik Helvadjian répond à son amitié et l'invite à visiter son logement, rue Phénicie. BW est ébloui par

la quantité d'ouvrages accumulés tout au long des couloirs et qui garnissent les murs du salon et des chambres à coucher.

Nuit d'insomnie.

Le ciel est sillonné de balles traçantes.

Les bruits de tirs sont incessants.

BW renoue connaissance avec la guerre.

Le lendemain, il se rend en taxi « de l'autre côté », c'est-à-dire à l'est de la ville, où se trouve la librairie Antoine. Son taxi est arrêté par un premier barrage de miliciens. On l'interroge. Franskaoui ? Oui. Pourquoi est-il à Beyrouth ? Pour commerce (BW pense que le moins dangereux est de se déclarer commerçant). Suit une question qu'il ne comprend pas. Que puis-je pour vous ? demande BW, mondain par bravade. On le plaque contre la portière. Papiers ! On contrôle son passeport (à l'envers). On le fouille brutalement. Puis on le laisse repartir.

Son taxi est encore arrêté trois fois, et trois fois le scénario se répète.

Il finit par arriver à la librairie Antoine où Louise Saad l'attend.

Mais au moment précis où il s'apprête à lui parler des prochains livres qui vont paraître aux éditions Gallimard, il entend un fracas effroyable. Un obus est tombé près de la librairie.

BW et Louise Saad s'immobilisent.

Ils n'ont pas le temps d'avoir peur.

Ils restent sans bouger, assis de part et d'autre d'un petit bureau.

Ils tendent l'oreille.

Le silence est total.

Vous vous y ferez, murmure gentiment Louise Saad.

BW, l'émotion passée, lui demande si elle peut appeler un taxi. Elle se propose alors de le raccompagner.

BW: Mais je ne voudrais surtout pas vous...

L.S.: C'est un plaisir. Elle dit textuellement: C'est un plaisir.

Ils montent dans sa Subaru. Après un premier barrage, ils entendent un bruit de tirs. Ces chiens nous tirent dessus! s'écrie Louise Saad. Elle accélère à fond. Leur cœur bat à tout rompre. Ils roulent à plus de cent. Arrivés à proximité du Bristol, tous deux sont pris d'un fou rire inextinguible.

Louise Saad gare sa voiture, puis, d'un pas de promenade, conduit BW dans une épicerie acheter des pistaches pour ses enfants. Il fait doux. Le ciel est limpide.

Partout, dans les rues dévastées, l'on entend les chansons de Julio Iglesias. Des bruits de tirs mêlés aux chansons d'Iglesias.

La guerre au Liban est baroque.

BW rentre à l'hôtel. Monte dans l'ascenseur. Fourbu.

Lorsque les portes s'ouvrent au troisième étage, trois kalachnikovs se braquent sur sa poitrine. Derrière, trois hommes encagoulés. Encore la peur. Le cœur dans la gorge. La sueur de l'angoisse et son odeur si âcre. Il s'agit simplement, lui explique-t-on, d'une petite mesure de sécurité : une sommité politique a réservé une chambre située au même étage que la sienne.

Quelques jours après, la réception de l'hôtel lui téléphone vers 10 heures du soir et lui conseille de se retirer dans la salle de bains. Les bruits de tirs semblent se rapprocher. BW se réfugie dans la salle de bains où, très vite, la lumière s'éteint. C'est ma première expérience d'aveugle, dit BW. Il attend dans le noir que le bruit des tirs diminue. Au bout d'un temps qui lui semble interminable, il rejoint sa chambre. À cet instant précis, le téléphone sonne. BW décroche et entend une voix nasillarde qui lui dit : On n'aime pas ici les amis d'Israël, puis se tait.

BW s'allonge sur le lit, exténué d'émotion. Il n'a pas la force de se déshabiller. Il s'attend, d'une minute à l'autre, à voir débouler ses assassins. Ses nerfs sont tendus à se rompre. Il pense à ses deux enfants Melissa et Alexandre. Il leur adresse muettement des mots d'amour. Je vous aime, je vous aime, je vous aime. Rien ne se passe. Il s'endort au point du jour, terrassé de fatigue.

Le surlendemain, il assiste dans la rue à la scène que voici :

Alors qu'il attend la venue d'un taxi, il voit trois hommes sur le trottoir d'en face garrotter un quatrième et lui trancher la langue.

Son cœur s'arrête. Sa bouche s'ouvre pour hurler, mais aucun son n'en sort, comme dans un cauchemar. Il ne peut ni avancer, ni reculer. Les trois hommes d'en face lui font le signe de foutre le camp, mais il ne peut ni avancer, ni reculer. Alors il s'adosse à la façade d'une maison, et il reste là, hébété, chancelant, au bord de défaillir. Il ne sait pas combien de temps il reste là, adossé à ce mur, K-O debout, figé d'épouvante, plus mort que vif.

Il se refuse à regarder l'homme effondré sur le trottoir dont la bouche s'est emplie de sang, mais il ne peut s'empêcher de le faire, il a la faiblesse de le faire. Il jette ses yeux, l'espace d'un éclair, sur le visage de cet homme, sur l'expression pleine d'horreur de son visage, puis, très vite, il détourne son regard, mais il est trop tard, l'image, en lui, s'est clouée.

Cette nuit-là, il ne dort pas.

L'image de l'horreur se reforme chaque fois qu'il ferme les yeux. Et cette image me possède, dit BW d'une voix dont il s'efforce de maîtriser les tremblements. Cette salope me tient captif. Et je vis constamment sous sa putain de menace.

Elle est toujours là, dit-il en désignant son front. Elle est toujours là, comme ces éclats d'obus qui s'enkystent dans la chair à tout jamais. Et il est rare, au demeurant, que je passe une semaine sans qu'elle ne s'interpose, à un moment donné, entre moi et les autres.

Rien au monde ne pourra l'arracher, je le sais, murmure BW d'une voix qui se brise.

Elle est toujours là, mêlée à d'autres, aussi atroces : des têtes tranchées jetées aux ordures, des membres ensanglantés en vrac sur la chaussée, des faces aux yeux crevés, des corps traînés, découpés, éventrés, lacérés, suppliciés, des corps boursouflés recouverts de mouches violettes, des chapelets d'oreilles humaines que les combattants des deux bords exhibent en guise de trophées, comme si le meurtre de l'ennemi ne suffisait pas, dit BW, comme s'il fallait de surcroît le ravaler au rang d'ordure.

Longtemps BW se tait.

Il regarde ses mains.

Il dit Putain.

Il dit Tu comprends ?

Il dit Trop tard ! c'est trop tard !

Il dit Pourquoi ?

Je lui dis me souvenir que, lorsque nous nous rencontrons en 1985, il y a vingt-trois ans

Vingt-trois ans ! répète BW, incrédule. Tu en es sûre ?

Je lui dis me souvenir qu'en 1985 la vision hallucinée de ces scènes le réveille quasiment chaque nuit. Je le trouve dressé sur le lit, trempé de sueur, l'œil aux aguets, ne bouge pas ! Et il lui faut bien cinq bonnes minutes avant de réaliser qu'il n'est pas fouillé par des moukhabarats surexcités, ni visé par un sniper posté sur le toit d'un immeuble, ni maintenu sur le capot brûlant d'une voiture par trois miliciens camés à mort et qui le fouillent en hurlant des imprécations dont il ne comprend pas le sens.

Quelquefois il se réveille dans un cri. Un mort gît dans la chambre. Il le voit. Ses yeux crevés le fixent comme s'ils l'accusaient. Des yeux opaques, vides, intolérables. Il allume la lumière. Il me regarde, il me touche, c'est toi ? Il secoue sa tête pour chasser la vision. Il allume une cigarette. Puis, lentement, lentement, il s'apaise.

Ses visions ne cesseront que lorsqu'il écrira ses années Liban dans un récit : *Paysages avec palmiers*, qui paraîtra dans la collection de Sollers en 1990. BW dira que la violence écrite dans le livre se situait très en dessous de celle qu'il vécut. Ce récit arraché à l'horreur remplira en partie sa fonction cathartique.

En partie seulement. Car il arrive aujourd'hui encore qu'une image effroyable subitement l'assaille et vienne éclabousser son esprit d'un sang noir.

Les jours suivants, BW est au supplice, il appréhende le sommeil, le surgissement des images qui déferlent d'un coup, les cadavres dressés, les mouches, l'épouvante, il craint la nuit d'horreur qui déteint sur le jour, il craint la fatigue du jour, il fume Marlboro sur Marlboro, il va et vient d'une pièce à l'autre en proie à une angoisse mortelle tandis qu'une affreuse douleur comprime sa poitrine.

Il n'y a que les livres, alors, pour atténuer sa détresse, les livres qui disent la détresse.

C'est dans l'un de ces moments noirs, qu'il relit *La Marche de Radetzky*, roman magnifique et désespéré qui annonce la fin d'un monde, et dans lequel BW croit reconnaître, par éclairs, un reflet de sa propre vie.

De retour en France, BW raconte à ses amis, la gorge encore sèche, ce que ses yeux ont vu.
On le regarde comme un malade.
La guerre au Liban le ferait-elle débloquer?
On le fait taire.
Mais ce sont les faits, s'énerve BW. Ce sont les faits.
Les faits ont tort, ripostent ses amis français qui savent parfaitement qui sont les victimes, et qui les agresseurs, et n'en démordent pas.
BW mesure alors l'écart immense qui sépare les convictions de ses amis français, de gauche pour la plupart, avec l'expérience terrible qu'il a saisie à bout portant, et qu'il sait être pour lui-même irrécusable, aussi irrécusable, dit-il, qu'un coup de fusil en pleine gueule.
Il réalise ceci qui le révolte, qui, trente ans après, le révolte encore: ses amis préfèrent dédaigner les événements irréfragables dont il a été le témoin effaré, plutôt que de renoncer à l'idée qu'ils s'en font.
C'est une leçon qu'il n'oubliera jamais:
Il y a le monde préconçu, le monde rêvé, le monde imaginé; et il y a l'autre, le monde que l'on parcourt

sur ses jambes charnelles, que l'on embrasse de ses yeux charnels, que l'on boit de sa bouche charnelle, que l'on flaire, que l'on cogne, que l'on sent, sur lequel l'on sue et l'on souffre, bref que l'on comprend de tout son corps vivant. Et les deux s'ignorent ou se méprisent, quand ils ne s'affrontent pas.

BW refuse qu'en lui ces deux mondes se disjoignent et le tiennent partagé.

Or c'est précisément cette scission qu'en lui-même il ressent pour tout ce qui concerne son métier d'éditeur, c'est le pugilat intérieur que se livrent violemment son désir de bien faire et son assujettissement à l'âpre réalité, qui l'amène aujourd'hui, entre autres raisons (leur cumul commençant à être d'importance), qui l'amène aujourd'hui à prendre la tangente.

Peut-il expliciter ?

Obligeamment, BW explicite :

Il y a, d'une part, tout ce qu'il avait espéré de ce métier, de son prestige, de ses légendes, des grands noms sacrés qui l'auréolaient. Tout le cinoche qu'il s'était fait. Toutes les illusions de sa jeunesse. La poésie pure, les sublimités, la foi en une langue qui saurait dire l'indicible. Tout le grand bluff auquel il avait cru, auquel il croyait encore, parfois, aux heures fastes.

D'autre part il y a son expérience concrète, la brutalité de sa vie quotidienne (budgets, chiffres, contrats et tout le reste). Et le divorce, vérifié aux heures sombres, de la littérature avec le monde, son impouvoir à saisir le réel, sa disparition annoncée et les adieux interminables qu'elle fait à la vie moderne (mais la littérature est comme BW : ses déchirements et ses gestes d'adieu l'accomplissent sans doute bien mieux que ses triomphes, il faudrait développer).

Retour au Liban (le Lieu du Crime).
Car BW n'en a pas fini avec le Liban.
N'en aura jamais fini.
BW tient à me dire ceci :
Le pire qu'il a constaté là-bas (tout discours doctrinaire abandonné depuis qu'il a vu ce qu'il a vu), c'est que la barbarie la plus meurtrière sévissait de toutes parts, il le répète : de toutes parts, tu entends bien : de toutes parts. C'est que, de toutes parts, le fanatisme le plus fou avait posé son cul sur la raison et la morale. C'est que le nom d'Allah bénissait les plus cruels sévices tandis que les chrétiens soudaient leurs crucifix sur le blindage des tanks.
Ce que BW a encore constaté, c'est que la bave de l'horreur avait infecté toute chose, mais sans que la vie cessât pour autant de faire valoir ses droits.
Cette découverte d'une horreur sans limites mêlée à la vie la plus vive, amène BW, déjà enclin à la mélancolie, à faire de nouveaux deuils.
Jusqu'à présent, dit BW qui se met à penser tout haut, jusqu'à présent, dans les pays que j'ai traversés, et pour

éloignés qu'ils étaient de ma culture, j'ai toujours fini par me dire que tous les hommes, au fond, se ressemblaient, ni tout à fait bons, ni tout à fait mauvais, et que j'aurais pu être n'importe lequel d'entre eux. L'atrocité de la guerre au Liban me fait soudain appréhender une capacité de l'homme au mal que j'avais sans doute conçue mentalement (par le savoir sur la Shoah entre autres choses), mais sans jamais véritablement l'intégrer. Car notre esprit est comme la mer. Il vomit sur la grève les déchets qui l'encombrent. Jusqu'à ce que vienne l'heure où ces déchets empestent.

Pourrai-je dire encore que je suis frère de ce fou qui a égorgé Leila simplement parce qu'elle était l'épouse d'un chiite? Qu'avons-nous de commun? Suis-je encore son semblable? Suis-je en puissance ce meurtrier, les mains rougies de sang, la folie prête à poindre? Pourrais-je tuer, moi aussi, dans ce raffinement morbide, et ce bonheur?

D'où vient le geste du bras qui tue? D'où vient-il? Mon Dieu, d'où vient-il?

Sachant ce que je sais, saurai-je retrouver l'insouciante légèreté qui fut parfois (rarement) la mienne, avant que ces visions ne salopent mes yeux?

Ces questions tourmentent BW jusqu'à le priver de sommeil.

Que peuvent les livres devant cet infini du mal qui loge au cœur de l'homme? s'interroge BW.

À quoi sert-il de les publier s'ils n'atténuent en rien l'Horreur. À quoi bon ? À quoi bon ?

Désormais, BW ne souffrira plus que les belles-lettres ferment leurs beaux yeux devant l'Atroce en feignant d'en ignorer les puissances.

Je n'abomine rien plus au monde, dit-il, qu'un livre, au thème tragique de préférence mais ruisselant de sentiments, tu veux des titres ? qu'un livre qui nous accable de fausses consolations et de fausses réassurances écrites dans une langue d'avant, je veux dire avec la confiance d'avant et les illusions d'avant, et s'acharnant à nous faire croire que le Beau et le Bien encore coïncident.

C'est ce qui l'amènera à défendre de toute son ardeur des auteurs sachant dire nos communes infamies en même temps que nos folies, nos fêlures, nos pitreries poignantes, nos gestes insensés, nos dignités et nos indignités (BW s'abstient volontairement de citer les écrivains qu'il a publiés afin de ne pas désobliger ceux-là que, par mégarde, il oublierait de citer),

et d'autres (auteurs) plus légers,

ou plus malicieux,

ou plus obliques,

mais tous les yeux ouverts sur la hideur et la beauté du monde.

Jamais je n'ai vu un jour si hideux et si beau.

Car BW a découvert à Beyrouth l'impensable : un monde hideux et beau, hideux comme il ne l'avait jamais vu, et beau en dépit de sa hideur. Et cette découverte a fait de lui un autre homme : elle l'a marqué au point de s'inscrire à même sa peau.

Tentative d'explication :

Depuis Beyrouth, BW a vu son visage devenir imberbe (serait-ce une mue à l'envers ?) et son corps se couvrir d'éraflures qui apparaissent soudainement et sans cause apparente.

Désormais, chaque fois qu'il consulte un médecin, la première question qu'on lui pose est celle-ci : quelles sont ces griffures qui zèbrent votre corps ?

Embarras de BW qui se doit d'expliquer aux docteurs incrédules qu'aucune maîtresse ne le flagelle, ni ne lui grille le bout des seins avec des cigarettes.

Ces longues traces rouges sur son torse et ses membres sont l'Absolu Mystère. La plus étrange chose dont ce livre rend compte. Que j'hésite à livrer par peur qu'elle ne soit jugée hâtivement, plaquée sur des schèmes simplistes ou comprise à partir d'idées préconçues.

Depuis Beyrouth, des signes sont inscrits sur le corps de BW.

Tu vas le dire ? interroge BW, circonspect.

Je me tâte, dis-je, car je crains les interprétateurs qui sont, de tous les méchants, les plus redoutables.

Quelque chose là-bas a heurté sa chair même et entamé sa peau. Quelque chose là-bas s'est écrit malgré lui dans la chair de son corps. BW au corps parlant. BW au corps si étroitement lié à la blessure de son esprit (blessure qu'il a tenté vainement d'exprimer dans une parole admissible), si étroitement lié, disais-je, qu'à présent son corps manifeste l'imprononçable cri de l'esprit.

J'ose à peine l'écrire tant c'est difficile à croire. Et ne suis pas certaine, d'ailleurs, de conserver ces lignes dans l'édition définitive. Je les ai (ces lignes) supprimées et recollées plus d'une dizaine de fois. Et à l'heure qu'il est, je tergiverse encore.

BW lui-même accorde à l'énigme de son corps écrit, de son corps, en somme, non réduit à sa viande, de son corps plein d'esprit, un regard chargé d'une ironique perplexité.

Personne ne va gober un truc pareil, s'exclame-t-il. Une peau douée d'écriture! Et puis quoi!

C'est pourtant vrai de vrai.

Depuis Beyrouth, BW éprouve un dégoût violent pour tout ce qui touche à la chose religieuse, un dégoût sans limites.

Il a vu, là-bas, trop de crimes se perpétrer en son nom. Et il craint que ces crimes ne croissent monstrueusement dans les années qui viennent. Plus les peuples sont malheureux, plus ils ont besoin de mensonges et plus ils ont besoin de Dieu, dit BW. La perspective d'une vie sans Dieu les jette dans la terreur et ils sont prêts à tout pour s'affermir dans leur erreur, prêts à mourir en fanatiques et à ensanglanter la planète.

BW est préoccupé, surtout, des ravages du fanatisme chez les enfants que certains pouvoirs, pris de ferveur prosélytique, odieusement exaltent, puis instrumentalisent.

On est fin 91, quelques mois après la guerre du Golfe.

BW est hébergé chez son ami K. qui possède une librairie dans le centre de Casablanca. BW s'est souvent rendu au Maroc et il aime infiniment ce pays. Mais pour la première fois de sa vie, il ressent confusément une hostilité en suspension dans l'air, un danger impalpable, une violence prête à fondre, comme ces ciels d'orage avant qu'ils ne s'éventrent et ne crèvent en déluge. Cette obscure menace va se révéler brusquement, voici comment.

BW fume devant la porte de la maison de son ami K., lorsque trois garçonnets s'approchent et l'apostrophent avec une férocité qui le stupéfie. Allah t'écrasera comme une punaise! Il t'écorchera, il t'empalera, il t'égorgera! Il te détruira comme il détruira tous les mécréants, tous les infidèles, toutes les crapules perverties par le cinéma américain et tous les dépravés qui exploitent les Arabes en buvant du whisky! Voilà ce qu'en résumé ils lui lancent à la gueule.

BW est tout désemparé. Rien de tel que les paroles agressives d'un enfant pour vous laisser tout désemparé. J'en sais quelque chose.

BW n'a jamais ressenti une haine d'une telle pureté,

d'une telle qualité devrait-il dire, se porter sur sa personne.

Que cette haine si pure, si entière et si, comment dire? si incorrompue, soit sécrétée par des enfants la rend plus désespérante encore, et plus irrémédiable.

Que dire à ces enfants qui les ferait changer?

BW a cessé d'aller au Maroc.

Il lui vient à l'esprit cet autre souvenir d'un Salon du livre à Alger, quelques années plus tôt.

BW est présent sur le stand Gallimard lorsque s'avance un groupe d'hommes barbus et vêtus de djellabas blanches dont il apprendra plus tard qu'ils font partie des Frères musulmans.

Au même moment, le muezzin appelle à la prière.

L'un des hommes du groupe s'approche du stand et d'une main hargneuse balaie une rangée de livres pour s'emparer de la suédine sur laquelle ils sont rangés.

Il va, annonce-t-il, s'en faire un tapis de prière.

BW s'interpose. Il veut bien essayer de trouver un autre support qui tiendra lieu de tapis, mais la suédine de son stand, non, pas question, il n'est pas d'accord.

L'homme lui jette un regard flamboyant de haine. On viendra t'égorger chien de chrétien! s'exclame-t-il. Il a un visage mauvais, avec quelque chose de fou, d'outragé et de fou, dit BW, quelque chose d'inébranlable, d'aveugle et d'effrayant. Et BW, qui éprouve rarement des sentiments de peur, est traversé d'un long tressaillement.

Ça m'a filé les jetons, dit-il.

L'intégrisme religieux n'a pas fini de nous filer les jetons, ajoute-t-il. Et ce n'est qu'un début.

Si on parlait d'autre chose ?

La religion de la littérature ?

Finie !

C'est du passé.

BW dit qu'il s'en est délivré, il emploie le mot délivré.

N'assiste plus aux messes, ni aux baptêmes, ni aux mariages, ni aux pelotages, ni aux enculages, ni aux arrangements, ni aux inaugurations, ni aux commémorations, ni aux congratulations, ni à aucune des grandes manœuvres patrioticopoliticoreligiolittéraires.

Ne se rend plus dans les sanctuaires où il est interdit de rire aux éclats, mais pas de clabauder, ça non !

Fuit comme la peste les cagots, les puristes, les intégristes de la littérature et toute cette infecte engeance.

N'a pas à cirer les pompes d'Untel, fort épris de lui-même et décrété depuis hier pape des Lettres et de la Lècheculrie. Encore moins celles de ses laquais.

Redevenu amateur et profane, redevenu dilettante tout entier voué à son *diletto*, il lui reste, intact, l'amour des livres, mais délesté du fardeau d'avoir à les bien vendre, et complètement débarrassé de leurs églises. Et s'il s'adonne encore à quelques dévotions (Lichtenberg, Lautréamont, Destutt de Tracy et quelques autres), il s'y adonne désormais en solitaire.

Sur ce point, vieillir n'est pas mal, dit BW.

C'est bien le seul, ajoute-t-il.

Chapitre : Vieillir.

Accrochons-nous.

Depuis quelque temps, BW, qui a 62 ans, a du mal à marcher. Et courir lui est difficile.

Lui qui a tant aimé gravir les hauts chemins des Alpes, escalader les pentes abruptes du Shishapangma, s'entraîner à la course sur les sentiers de montagne, il ne peut désormais monter un petit escalier sans en éprouver de la douleur.

Lui qui s'est livré à fond au plaisir de la course, lui que le sport a délassé de tant de vains tourments, il ne peut plus effectuer cent mètres d'affilée sans être astreint à une halte.

Tous ces renoncements lui sont pénibles. Extrêmement.

D'autant que bat, intact, en lui, le désir de tout connaître de la terre, tout voir, tout sentir, tout parcourir, tout éprouver, désir dont il s'étonne qu'il ne soit partagé par tous les hommes de la terre. Comment peuvent-ils être à ce point incurieux de leur monde ?

BW devra donc mourir sans connaître sa planète en entier ?

Il ne marchera donc pas sur les sommets des Andes où règnent les condors ? Il ne traversera pas les pôles ? Il ne descendra pas le Fou-ho sur une jonque ? Il ne pénétrera pas comme un aveugle dans la forêt d'Amazonie ?

Zanzibar, Savannah, Samarcande, Cuzco, ne resteront que des noms froids inscrits sur des cartes géographiques? Merde alors. C'est dur à avaler.

Aujourd'hui encore, BW ne peut regarder le reportage télévisuel d'une ascension en montagne, un documentaire sur le Tibet, ou un film sur la Cappadoce, sans en frissonner d'émotion. Viens voir vite comme c'est beau. Si on y allait?

Quant aux retransmissions des courses à pied sur la chaîne Eurosport, elles font battre son cœur comme au temps de sa jeunesse, et réveillent en lui le vieil instinct animal de la course.

Le jeune coureur qu'il fut l'habite encore certains jours.

Le goût de la vitesse et l'impression d'arrachement qu'elle procure, l'ivresse à fendre l'air et à voler à fleur de terre, la volupté de jouir d'un corps en quelque sorte délesté, le sentiment de posséder une mécanique ailée et presque surnaturelle, toutes ces choses sont loin, en lui, d'être mortes. Mais la carcasse ne suit pas, putain, je me fais vieux.

De tous les plaisirs que sa vétusté (le mot est sien) lui fait abandonner, celui de pédaler est, avec celui de courir, l'un de ses plus fortement regrettés.

BW a adoré sillonner la France à vélo. Il a grimpé le Ventoux, le Galibier, l'Aspin, l'Izoard, les grands classiques, sans poser pied à terre, note bien ce détail.

Toutes ces étapes, il les a longuement commentées, dans

une autre vie, dit-il, avec Antoine Blondin, lors d'un mémorable Tour de France qu'ils ont suivi ensemble en 1982.

BW a profondément aimé cet homme. Cycliste sans cycle, écrivain sans ego, homme généreux et intempérant parce que trop sensible, ami fantasque et d'une adorable gentillesse, BW l'a fréquenté jusqu'à sa mort et pleuré longtemps après.

Aujourd'hui, finis les exploits cyclistes! soupire BW.

La marchandise est périmée (se désignant).

Quant aux exploits sexuels, branlettes, pieds au mur, vrilles, loopings et autres chorégraphies, mieux vaut sur ce chapitre rester des plus discrets.

Soit.

Mais qu'on n'aille pas croire, rectifie BW pour me consoler (je sens qu'il va mentir), qu'on n'aille pas croire que vieillir n'est qu'une lente et mélancolique dégringolade. Pas du tout du tout. Au soir de ma vie (ai-je bien entendu?) j'apprécie davantage les bontés d'une existence sédentaire (il ment). Je m'habite mieux (il ment), de là à dire que le repos conduit à la béatitude. Je me querelle moins avec les autres (c'est vrai). Je sais mieux réfréner mes colères naissantes (c'est vrai). D'ailleurs je ne fréquente plus que des personnes aimables (c'est vrai). Je sais faire moi aussi mon gentil (c'est faux). J'endure mieux les moments calmes, je veux dire où il ne se passe rien (c'est vrai). J'y prends même goût, c'est affreux, et serai bientôt prêt à faire du macramé (il ment). Je me les roule sans remords (c'est vrai). Les coups qui viennent du dehors me font moins mal. Ceux du dedans aussi (j'en doute). Mais mon impossibilité à m'accommoder de ce qui profondément m'écœure ne faiblit pas le moins du monde (c'est vrai).

On dit que le léopard meurt avec ses taches. Je mourrai de la même façon. Avec mes taches. Pissant sur moi peut-être, pardon de déparer la beauté du vieillir, tout désarticulé peut-être, tout égrotant, tout mal foutu, la pine pantelante, la bouche édentée, mais un livre à la main, Bon Dieu de Bon Dieu, un livre à la main, et la page cornée pour en poursuivre la lecture *in paradisum*.

Car il me reste, ma chérie, la lecture, le plaisir pur, inentamé de la lecture. (BW depuis une semaine a retrouvé une vue suffisante pour lire et depuis une semaine une sorte d'euphorie s'est emparée de nous qui nous fait bénir chaque chose et rire de n'importe quoi.) Et ce plaisir, dit-il, offre l'avantage notoire de requérir une immobilité à laquelle je suis, pour le moment, contraint, ça tombe bien.

Nous lirons donc. Nous y emploierons le temps qui nous reste à vivre.

Et le monde?

Lequel? L'immonde, l'immense, le magnifique, le terrible? Ou le petit monde littéraire français?

Écoute-moi bien: tout, du petit monde littéraire français dont j'ai fait partie à une époque, dont j'ai partagé à une époque les codes, les manières, les faussetés, les engouements et les désengouements (je ne peux m'en souvenir sans rire de moi), tout de lui à présent m'insupporte. Hormis ce qui te concerne.

J'en ai soupé.

Je peux même dire aujourd'hui que c'est un des endroits de mon existence où je me suis fait le plus chier.

Je ne veux plus avoir affaire à lui.

Mais les gens de ce milieu que tu aimais? dis-je.

Silence de BW.

Les gens de ce milieu que tu aimais ne pourront pas comprendre pourquoi tu les écartes, dis-je.

Silence de BW.

Puis, faiblement: Tant pis!

Je dois signaler à cette occasion un trait singulier du caractère de BW à l'origine de nombreux malentendus, trait qui se traduit par un refus catégorique de fournir le moindre éclaircissement sur sa conduite, quand il lui serait pourtant loisible de rétablir la vérité ou de la faire tourner à son profit. BW, sachez-le, ne plaide jamais sa cause, ne justifie jamais ses ruptures, ne condescend jamais à fournir des arguments avocassiers à ses agissements, et répugne souverainement à s'expliquer quelle que soit la profondeur de la méprise dont il est la victime et de la douleur qu'elle provoque en lui. Je pourrais donner deux cents exemples de cette arrogance que souvent je déplore. Fermons la parenthèse.

Quant au monde, reprend BW quelques minutes après, je veux parler du vaste, du déployé, du romanesque, il n'est pas impossible que j'aille y faire un dernier tour : les cerfs-volants me manquent, et je rêve de routes que les GPS ignorent. Il n'est pas impossible, disais-je, que j'aille y faire un dernier tour, histoire d'être prêt au départ, au grand départ, celui-là.

Dis pas ça !

Et les femmes ?

J'en ai connu beaucoup, dit BW.

Combien ?

J'en perds le compte (selon moi, il en rajoute).

Quel genre ?

Du tac au tac : le genre majorette et les dents en avant.

Que peux-tu m'en dire ?

Rien.

Rien ?

Des bêtises. J'ai fait avec les femmes beaucoup de bêtises.

Sexuelles ?

Si tu veux.

Lesquelles ?

Pas de réponse.

Tu ne veux rien m'en dire ? Bon d'accord. Ce livre sera donc infirme et parfaitement décevant.

Veux-tu, propose BW conciliant, que je te parle de mes voyages en Égypte, ou au Yémen, ou en Syrie, ou aux États-Unis, ou en Allemagne, ou aux Pays-Bas, ou au Canada, ou en Russie, ou

Je m'en fiche complètement.

Que je te dise la beauté des oasis de Tamerza ? Ou ma marche dans les rues de Tel-Aviv au milieu de 400 000 personnes pour protester contre les massacres de Sabra et Chatila, c'était le 25 septembre 1982, je travaillais en même temps en Israël et dans les pays arabes, je possédais deux passeports que je n'avais pas intérêt à confondre, je m'étais embarqué la veille depuis Le Caire dans un avion dont le vol pour Israël n'était pas annoncé parce que

Mais tu me l'as déjà raconté dix fois.

Ou que je te parle de la lecture si belle que fit, sur mon initiative, et dans la ville de Jérusalem, Philippe Sollers de *Paradis*. Jeunesse de Sollers. Perpétuel pétillement. Revers de sa mélancolie ? Il y aurait tant à dire. Ou de mon expérience à *Métal hurlant* sous le nom de Léo Percepied. Ou de ma rencontre avec Robial. Ou de mon périple en Irlande. Ou de

OK pour l'Irlande.

Allons-y Alonzo.

Marche arrière.

J'en ai le tournis.

On est en avril 69.

BW s'embarque au Havre sur un bateau qui doit le

conduire à Rosslare. Il veut s'offrir une virée dans le pays de Joyce.

Ce jour-là, il porte un tee-shirt que lui a offert un athlète yougoslave lors d'une compétition à Belgrade, tee-shirt sur lequel est inscrit le nom du grand club de sport belgradois *Les Partisans de Belgrade*.

Durant la traversée, le port de ce maillot qui célèbre la victoire des partisans titistes lui attire la sympathie d'un Breton, Hervé Mahé, lui-même partisan zélé de l'indépendance bretonne et qui, avec quelques autres fêlés, s'est vu interdire le territoire français pour avoir enlevé l'épouse du ministre René Pleven, rien que ça. Hervé Mahé s'est réfugié dans la ville irlandaise de Barna près de Galway où il a acheté une maison et, de temps à autre, il rend des visites clandestines à sa famille restée en France.

Après vingt-huit heures de bateau, BW débarque à Rosslare.

Contrôle des papiers. Pédiluve. On échange les adresses. On se sépare, au revoir, à bientôt. Hervé Mahé invite BW à venir chez lui quand il le souhaitera.

Sur la route de Dublin, BW est pris en stop par trois jeunes filles qui le conduisent dans une demeure splendide, entourée d'un parc immense où paissent des chevaux de race. Impression totale d'irréalité. You want some tea ? Yes yes, très volontiers. En guise de thé, on présente à BW un pot rempli de marijuana. BW se demande tout simplement s'il n'est pas victime d'hallucinations.

Le soir il est à Dublin. Il se promène dans la ville comme on le fait en rêve. Il ne sait plus son nom, ni d'où il vient, ni où il va. Il est complètement défoncé. Il marche, et les rues s'évasent au fur et à mesure qu'il s'y avance. Certaines façades lui apparaissent fantastiques. D'autres réduites aux dimensions d'une maison de poupée. La maison de Joyce lui semble si minuscule qu'il a le sentiment qu'il pourrait la soulever à la seule force de ses bras.

Est-elle vraiment petite?

BW ne sait pas. Il n'est plus jamais retourné à Dublin.

Il passe la nuit au Youth Hostel et parcourt la ville, le lendemain, dans une sorte d'état second.

Le jour suivant, il est pris providentiellement en voiture par un athlète qu'il admire et qui n'est autre que Noel Carroll, champion d'Europe de 800 m. Le ravissement continue. Le voyage, dit BW, est fait aussi de ces miracles.

Noel Carroll le dissuade fermement de se rendre en Irlande du Nord où la guerre sévit. Mais c'est mal connaître BW que de l'imaginer sensible à de sages dissuasions.

À Drogheda, il est pris par un camionneur qui conduit sa livraison à Belfast. Mais, un peu avant le tristement célèbre checkpoint de Newry, le chauffeur qui ne veut pas d'emmerdes lui demande de descendre.

BW continue à pied.

Il faut préciser que devant l'afflux de jeunes gens de toutes nationalités venant se battre auprès des catholiques irlandais, le contrôle à la frontière est des plus drastiques. Fouille au corps minutieuse et fouille serrée des bagages. BW fait valoir qu'il est journaliste-photographe à *La Montagne* et exhibe, pour en convaincre les Anglais, son appareil Minolta et cinquante pellicules.

Arrivée dans Belfast, à la nuit tombée.

Les volets des maisons sont clos.

Certains sont consolidés par des planches clouées en croix.

Des barrages bouchent les rues.

Désolation.

Nuit à l'hospice dans une cellule affreusement sale.

Bruits de tirs. Explosions. Cauchemars.

BW se souvient que le mur d'en face porte l'inscription : HIGHER FOOD PRICE IN THE COMMON MARKET.

Le lendemain, découverte d'une ville en guerre.

BW se dirige vers la première barricade. C'est à ce moment qu'un Australien, entouré de jeunes émeutiers, jette à bout de bras une barre à mine sur un véhicule conduit par deux Anglais qui cherchent à forcer le passage.

Le véhicule finit sa course contre un mur.

Les deux Anglais sont décalottés.

Silence horrifié sur la barricade.

Puis quelqu'un crie en anglais : Les calottes crâniennes

font de bons cendriers! Et un rire de femme retentit dans le silence. Les rires en temps de guerre ne ressemblent en rien aux rires de la paix, remarque BW. D'une cruauté supérieure. Désespérés. Terribles. Ils rient la vérité terrible et donnent le frisson.

BW est calme.

BW, qui est toujours nerveux, est calme dans l'adversité.

La qualité principale d'un voyageur est d'être calme dans l'adversité, dit-il.

Et celle d'un éditeur?

Ne pas perdre son temps à chasser les mouches, répond BW incontinent. Et boucher ses oreilles aux jappements des chiens, c'est le plus dur.

Puis, sitôt après: Lire un manuscrit en écoutant ensemble son esprit et son cœur.

BW, disais-je, est calme. Il prend des photos. Sur un mur, il lit: FREE IRELAND. Plus loin, il voit une colonne de fumée.

Soudain, il perçoit un bruit de percussions qu'il ne parvient pas à identifier. On lui dit que des femmes donnent l'alerte en frappant sur des casseroles.

Des gens se mettent à courir.

Tirs à vue.

On lui hurle de se coucher à terre. Autour de lui, jaillissent des étincelles produites par l'impact des balles sur le sol.

Il se couche un instant. Puis se relève et court plié en

deux vers ce qu'il croit être un abri. Un journaliste de l'agence Gamma, croisé plus loin, lui achète sa pellicule photographique.

Départ pour Derry.
Où il fait la connaissance du jeune Stanley dont la joue sera arrachée quelques jours plus tard par une balle en caoutchouc shootée à bout portant par des soldats anglais. Ils se lient d'amitié.
BW est hébergé une semaine dans la famille du jeune Irlandais. La famille est pauvre. Stanley, ses trois frères et son père sont des sympathisants de l'IRA. En les écoutant, BW comprend que la guerre en Irlande est bien plus une guerre sociale qu'une guerre de religion. C'est ce qu'il écrira à son retour dans un article qui fera la pleine page du journal *La Montagne*.

Puis il passe quelques jours chez Hervé Mahé, le terroriste assagi, près de Galway. La nuit, ils vont pêcher le maquereau au filet, en pleine mer. Le jour, ils font des travaux de maçonnerie dans la maison qui s'ouvre sur l'océan.
Les nuages au-dessus courent à toute vitesse.
BW s'éprend d'eux.
Plus tard, il les montrera à ses enfants et, plus tard encore, à son ami Pierre Guyotat.
Quand t'amènerai-je les voir?

Il quitte Galway et longe la côte jusqu'à Dingle où il est stupéfait de voir, dans les bassins du port, des centaines d'otaries.

Au large, les îles Blasket et dans leur prolongement New York, où il ira un jour, c'est sûr.

BW, qui n'a plus un centime, revient à Rosslare pour prendre le bateau. Il devra attendre trois jours avant de s'embarquer, trois jours pendant lesquels il se nourrira uniquement de pain, et dormira, grelottant, dans un trou creusé sur la plage, recouvert de panneaux en carton.

Juillet 69. BW fait un aller-retour à Alger, le temps d'écouter Archie Shepp et son groupe qui sont les invités du premier festival de jazz panafricain. C'est la première fois que des musiciens blacks américains foulent le sol d'Afrique.

We have come back, Nous sommes revenus, crie Ted Joans à la foule.

Un sanglot imprévu monte dans sa poitrine, tandis que dans la foule une clameur s'élève, qui est la musique même.

J'allais terminer ce livre sans parler de l'Espagne, de nos espagnes, de ces endroits de nous que nous appelons espagnes, lorsqu'un événement ce matin est venu remuer notre sang andalou.

Ma sœur m'apprend par téléphone qu'elle a rencontré une personne qui faisait des recherches depuis des années sur le camp d'internement de Mauzac. Cette personne lui a ouvert ses archives. Et, miracle des miracles, ma sœur a reconnu parmi toutes les photos recueillies qu'elle a observées une à une, celle de nos deux parents. C'était, dit-elle, la cinquante-sixième.

À cette nouvelle, BW et moi pleurons comme deux enfants. J'ai si souvent rêvé, et BW avec moi, que ce miracle ait lieu.

Sur la photo que ma sœur nous fait parvenir par mail, ma mère a 18 ans, mon père 27.

Ils sont beaux.

Ils sont correctement habillés.

Ils ont quitté l'Espagne depuis un an (on est en 1940).

Ils sont passés par le camp de concentration d'Argelès avant d'être internés dans le camp de Mauzac (ils vivront ensuite quelque temps à Langogne où naîtra ma sœur, puis à Autainville où je naîtrai, pour s'installer près de Toulouse où mon père travaillera comme manœuvre dans les travaux du bâtiment).

Ils n'ont pas l'air aussi éprouvés que je l'appréhendais.

Ils sourient.

Leur histoire est la mienne.

Elle est à jamais écrite en moi.

Elle est dans le sang de mes veines, dans mes nerfs et dans mon cerveau.

Mais elle est aussi, bien que plus obliquement, celle de BW qui à l'adolescence rencontra un républicain espagnol réfugié à Clermont, lequel lui ouvrit un monde.

Cet Espagnol s'appelait Ramón. Il était l'ami de son oncle René et comme lui travaillait chez Michelin dans l'atelier de filature où se fabriquait la toile des pneus. Tous les ouvriers l'admiraient parce qu'il était le seul à tutoyer les responsables, tous les responsables, quel que fût leur titre.

Ramón parla à BW des anars, de la bataille de l'Èbre, des Brigades internationales et du putain de salopard de merde Francisco Franco Bahamonde, un sin vergüenza, un hijo de puta, un ladrón y un podrido. Il lui parla du courage et de Durruti. Il lui parla de Federico Garcia Lorca et de la mélancolie des lierres. Il lui parla de l'amour libre à l'époque de la FAI et des femmes à la pelle en las comunidades. Il lui parla des blés brûlés dans les champs de Fatarella y de los olivos que no saben llorar. Il lui apprit les mots lidia (lutte), soledad (solitude), agua ardiente (eau-de-vie), jodido (foutu), joder (foutre), coño (virgule) et des injures longues de douze pieds et même davantage.

Et toutes ces choses d'Espagne pénétrèrent le cœur de cet adolescent qui cherchait l'infini.

Ce matin, BW, qui depuis quelques jours s'est remis à la lecture (à chercher l'infini?), tient absolument à m'apprendre ceci:

Je pense que les institutions bancaires sont plus dange-
reuses pour nos libertés que des armées entières prêtes au
combat. Si le peuple américain permet un jour que des
banques privées contrôlent leur monnaie, les banques et
toutes les institutions qui fleuriront autour des banques pri-
veront les gens de toute possession, d'abord par l'inflation,
ensuite par la récession, jusqu'au jour où leurs enfants se
réveilleront sans maison et sans toit sur la terre que leurs
parents ont conquise.
Devine qui l'écrit ?
Thomas Jefferson, président des États-Unis.
Devine quand ?
En 1802, tu entends : 1802 ! Deux siècles d'aveuglement
volontaire ! LA PASSION D'IGNORER. LA PASSION
D'IGNORER. LA PASSION D'IGNORER.

Et puisque nous sommes aux USA où j'ai quelques
amis, fort étrangers, je te rassure, aux pillages bancaires
et se gardant de cultiver la passion d'ignorer, restons-y
si tu veux bien, me propose BW.

Le 15 mai 1986, BW est allé se recueillir, seul, sur la
tombe de Kerouac, à Lowell, Massachusetts, au nord-est
des États-Unis.
C'est juste pour accomplir ce geste qu'il a entrepris le
voyage.
Il est allé sur la tombe.
Il n'a rien ressenti.

Toutes les choses en lui et autour de lui sont restées muettes.

Il ne s'est pas attardé.

Il a traversé, l'esprit vide et le cœur, une zone d'usines pareille à toutes les zones d'usines et, après avoir passé un pont sur le Merrimack, il s'est retrouvé dans la ville.

Il l'a trouvée quelconque.

Il l'a trouvée triste.

Il s'est demandé quel désespoir avait pu pousser Kerouac à venir y mourir. Quel renoncement désespéré. Quel désir d'en finir.

Il s'est souvenu, soudain, d'une photo de Kerouac prise quelques années avant sa mort. Kerouac à Lowell, bouffi, prostré, méconnaissable, assis près d'une épouse semblable à s'y méprendre à sa mère, les deux prenant la pose dans ce qu'il imagine être le salon familial, plantes en pots, napperons à franges et poupées folkloriques posées sur un buffet rustique. Kerouac déchu, les ailes au sol, pauvre ange.

Quelque chose l'a accablé.

Quelque chose de noir.

Il a marché encore.

Qu'est-ce que je fous ici?

Une automobile l'a frôlé. Il a bondi sur le trottoir, par réflexe.

Il s'est engagé dans Lupine Road bordée de mornes maisons de bois blanches. Et lorsqu'il est arrivé devant la maison natale de l'écrivain, il s'est passé ceci: un chien noir en a jailli, qui l'a talonné jusqu'au bout de la rue. Sans blague.

Était-ce un signe? dit BW qui ne croit pas aux signes.

Le véhicule du Malin? dit-il en riant. L'avertissement d'un maléfice à venir? Le présage néfaste que la littérature, ou plutôt qu'un certain état de la littérature que je considère comme la littérature même, disparaîtrait un jour comme disparaîtraient les léopards de la jungle? Et qu'alors surgiraient des objets mutants appelés littéraires, mais sans rapport aucun avec la littérature telle qu'elle me fit, telle qu'elle me porta, telle qu'elle enchanta ma vie?

On a de tout temps pronostiqué ces choses, dis-je, et jamais elles ne sont advenues.

Je parie à cent contre un qu'elles se produiront à plus ou moins long terme.

Je parie à cent contre un qu'elles n'adviendront pas.

Tu n'as pas soif?

J'aimerais être à Valencia et boire des claras au Sagardi avec Claude, Elena et toi, en levant mon verre A la vida!

Si on y allait?

FIN

DU MÊME AUTEUR

La Déclaration
Julliard, 1990
Verticales, 1997
et « Points », n° 598

La Vie commune
Julliard, 1991
Verticales, 1999
et « Folio », 2007

La Médaille
Seuil, 1993
et « Points », n° 1148

La Puissance des mouches
Seuil, 1995
et « Points », n° 316

La Compagnie des spectres
Seuil, 1997
et « Points », n° 561

Quelques conseils utiles aux élèves huissiers
Verticales, 1997

La Conférence de Cintegabelle
Seuil/Verticales, 1999
et « Points », n° 726

Les Belles Âmes
Seuil, 2000
Corps 16, 2001
et « Points », n° 900

Le Vif du vivant
dessins de Pablo Picasso
Cercle d'art, 2001

Et que les vers mangent le bœuf mort
Verticales, 2002

Contre
Verticales, « Minimales », 2002

Passage à l'ennemie
Seuil, 2003
et « Points », n° 1252

La Méthode Mila
Seuil, 2005
et « Points », n° 1513

Dis pas ça
Verticales-Phase deux, 2006

Portrait de l'écrivain en animal domestique
Seuil, 2007
et « Points », n° 2121

RÉALISATION : PAO ÉDITIONS DU SEUIL
IMPRESSION : CPI FIRMIN DIDOT AU MESNIL-SUR-L'ESTRÉE
DÉPÔT LÉGAL : AOÛT 2009. N° 99711 (95554)
Imprimé en France